情정 님이

情정 님이

김용택 글

열림원

정님이

초판 1쇄 발행 2004년 6월 15일
초판 3쇄 발행 2004년 6월 21일

지은이 | 김용택
펴낸이 | 정중모
펴낸곳 | 도서출판 열림원
편집장 | 박지연
책임편집 | 박은경 · 이경수
디자인 | 이재원
제작 | 송정훈
영업 | 김석현 · 배한일 · 정범용
관리 | 김명희 · 김은성 · 정소연
등록 | 1980년 5월 19일(제406-2003-026호)
주소 | 경기도 파주시 교하읍 문발리
출판문화정보산업단지 513-15
전화 | 031-955-0700
팩스 | 031-955-0661
홈페이지 | www.yolimwon.com
이메일 | editor@yolimwon.com

* 책값은 뒤표지에 있습니다.

ISBN 89-7063-418-5 03810

찬샘 아래 작은 무덤이 하나 있다. 유일하게 자갈밭 응달에 있는 무덤이다. 이 이야기는 그 무덤의 이야기이기도 하다.

작가의 말

그때 그 시절 이야기

지금부터 50여 년 전에 다녔던 학교를 지금도 나는 계속 다니고 있다. 그 시절의 산천도 많이 변했고 나도 많이 변했지만 여전히 나는 그 자리에 있다. 덕치초등학교에 1학년으로 들어온 후 지금까지 평생을 이 학교에서 산 셈이다. 그때와 마찬가지로 샛노란 꾀꼬리가 지금도 푸른 산으로 날아오르며 울어댄다. 그러나 그때 울던 바로 그 꾀꼬리는 아닐 것이다. 운동장을 바라보면 동무들과 뛰어놀던 일이 영화의 장면들처럼 지나간다. 유리창 밖 오른쪽으로 고개를 돌리면, 흐르는 강물을 따라 이 책의 주인공인 정님이가 책보를 가슴에 안고 걷는 모습이 손에 잡힐 듯 어른거린다.

나는 얼마 전《섬진강 이야기》와《그리운 것들은 산 뒤에 있다》라는 산문집을 냈다. 그 글들은 내가 태어나고 자란 진메 마을 사람들의 이야기이다. 그 책들 속에는 나의 초등학교 때 이야기가 빠져 있다.《정님이》는, 출판사 내부 사정으로 인해 더 이상 출간되지 않는 어린이 동화《옥이야 진메야》의 내용을 대폭 보강하고 수정하여 다시 쓴 이야기이다. 그 아련했던 초등학교 시절의 아름다운 이야기들을 나는《정님이》에 옮겨놓았다. 그러니까 이 책은 '섬진강 이야기' 의 가장 앞부분에 해당되는 이야기인 셈이다.《정님이》 안엔 사실과 허구, 기억과 상상이 뒤섞여 있다. 그러나 사실에 더 가까운 이야기이다. 이 책은 산문적이면서 소설적이고, 소설적이면서 산문적이다. 그러나 나는 소설 쓰는 사람이 아니므로 이 이야기는 사실에 입각한 산문에 가깝다. 말하자면 산문이면서도, 마치 소설처럼 주인공의 이야기를 따라가는 일정한 줄거리를 가진, 나로서는 새로운 시도의 글쓰기인 셈이다. 이 책 속에서 상상과 허구의 구분은 독자들에게 맡길 수밖에 없다. 정님이는 내가 누님이라고 불렀던 우리 동네 같은 반 학생이었다. 여기서 밝혀두고 싶은 것은 누님과 빨치산의 관계가 허구라는 사실이다. 이 책으로 인해 혹 누님에게 누가 되는 일이 없기를 바란다.

이제 우리 동네 이야기를 거의 마무리한 셈이다. 지금까지 쓴 글에서 잘못되거나 빠진 이야기들은 살아가면서 다시 수정하고 차차 보완해갈 것이다.

내가 몇 권의 책을 통해 진정으로 이야기하고 싶었던 것은, 자연과 사람들이 어떻게 어울려 아름다운 공동체를 이루며 살아왔는가 하는 것이다. 다시 말해, 그 시절 가난한 삶의 의미와 가치를 오늘 우리의 삶에 비추어 발언하고 싶었던 것이다. 작은 강 마을 사람들의 일상은 눈부시고 장엄했다. 그들이 만든 작은 마을 속의 공동체적 삶의 모습은 인간이 만들 수 있는 가장 평화롭고 자유로운 삶의 형태였다. 나는 어디에서도 그처럼 빛나는 삶의 모습을 보거나 듣지 못했다. 같이 먹고 일하고 함께 어울려 놀았던, 신성하기까지 한 농민들의 위대했던 일상은, 거대한 권력이 만들어낸 온갖 폭력이 배제된 인류의 이상이자 꿈이라고 나는 생각한다. 나는 그것을 믿는다. 시대착오적인 생각이라고 말하지들 말라. 우린 자연과 우리들의 삶의 내용 앞에서 그렇게 말할 자격을 이미 잃었다. 계절과 아침저녁, 그리고 해와 달과 비와 눈과 바람이 한 몸이 된, 일과 놀이의 일상. 경이로운 사람들의 마을, 그 작은 강 마을에 정님이와 우리가 살았다.

2004년 여름 섬진강 작은 학교에서

김용택

차 례

진메 마을

우리 마을 이름은 진메다. 동네 강 건너 앞산이 길어서 긴뫼인데 사람들이 이 이름을 반복해서 부르다 보니, 진메가 된 것이다. 지금은 장산리라고 부른다. 우리 동네는 직사각형 모양의 구유 속 같다. 사방이 산으로 빙 둘러싸여 있다는 말이다. 우리 동네가 언제 생겼는지는 정확하게 알지 못한다. 그저 임진왜란 때 피난 온 사람들이 마을을 이루어 살기 시작했다고 한다. 동네 뒷산에 5백 년쯤 된 느티나무가 있는데 동네 어른들은 그 나무의 나이와 마을의 나이가 같을 것이라고 한다. 사람들은 보통 빛 좋고 물 좋고, 논밭을 많이 만들 곳에 마을을 만들어 사는데, 우리 동네는 물과 산만 좋을 뿐 사람들이 살기에는 그리 좋은 곳이 아니다. 너무 산골이어서 논도 밭도 다 산에 있다. 그래도 사람들은 이곳에 동네를 이루고 살며 마을 곳곳에 이름들을 다 붙여놓았다.

앞산에는 '꽃밭등' 이라는 곳이 있다. 마을 앞 강 언덕의 느티나무에서 정면으로 보이는 산비탈인데, 봄이 오면 그 산에 개복숭아꽃, 개살구꽃이 무지 많이 핀다. 꽃이 많이 피어나니 꽃밭등인 것이다.

꽃밭등 뒤에 깊은 골짜기가 하나 있는데, 거기는 '절골' 이다. 그곳에 절이 있었다고 하지만 그 절을 봤다고 하는 사람을 나는 아직 만나보지 못했다. 그리고 가파른 산비탈에 밭들이 있다.

동네 앞산이 끝나고, 산굽이가 시작되는데, 그 산 돌아가는 곳이 '돌곶' 이다. 돌곶을 돌아가면, 잘 보이지 않는 약간 외진 곳에, 우리 동네에서 가장 평평한 밭이 모인 곳이 있다. 그곳이 '평밭' 이다. 그러나 넓은 들을 상상해선 안 된다. 물이 산을 따라 돌면서 만들어놓은, 평평한 축에 속하는 작은 언덕일 뿐이다.

강은 이 긴 앞산이 시작되는 곳을 따라 달려와서 산을 따라 돌아간다. 강 건너 이웃 동네의 강물은 진메 마을 앞을 따라 직선으로 3킬로미터 정도 흐른다. 그리고 돌곶으로 굽이돌아 가버린다.

강물의 곳곳에도 사람들은 이름을 다 지어놓았다. 벼락맞은 바위가 있으면 '벼락바위' 라는 이름을 붙이고, 무당이 산 곳엔 '무당밭골' 이라 이름 붙여 놓았다.

벼락바위는 두 개가 있다. 하나는 이웃마을 가까이에 있는 새말벼락바위, 그리고 우리 동네 앞 강변에 있는 벼락바위. 벼락바위 밑에는 '뱃마당' 이 있다. 징검다리 위로 물이 넘칠 때 배를 띄우던 곳이다. 뱃마당에는 커다란 바위들이 몇 개 있는데, '두루바위' , '자라바위' , '까마귀바위' , '작은두루바위' 가 있다. 두루바위는 강물에 몸을 절반쯤 담그고 있는, 커다랗고 둥그런 바위다. 둥그니까 두루바위다. 이 바위 아래엔 어른 팔뚝만 한 메기와 쏘가리, 야구모자보다 큰 자라, 갈겨니, 꺽지, 방망이보다 큰 뱀장어 들이 산다. 사람들이 이 바위에 올라가 다이빙을 하기도 한다. 비가 많이 와서 바위 위로 물이 넘칠 땐 물을 건너면 안 된다. 물이 많아 위험하다는 의미이기 때문이다.

두루바위 앞엔 아이들이 세 명쯤 앉을 수 있는 바위가 하나 있는데, 그 바위가 자라바위다. 갑자기 소나기가 쏟아지다가 해가 쨍 뜰 때가 있는데, 그때 자라들이 바위를 온통 덮어버릴 만큼 많이 올라와 햇볕을 쬔다. 자라바위 아래엔 까마귀가 날아와 자주 앉는 바위가 있다. 그게 까마귀바위다. 그리고 '노딧거리'. 노딧거리는 우리 동네에서 유일하게 몸을 적시지 않고 건널 수 있는 징검다리다. 징검다리를 사람들은 그런 이름으로 불렀다. 그리고 '쏘가리방죽', '다슬기방죽'이 있다. 강물 속 바위들에도 다 이름이 있다. 고기들의 이름을 따거나 생긴 모양을 딴 이름들이다.

강물이 흘러 돌아가는 돌곶 앞에 있는 우리 동네 옆 산에도 이제 골짜기마다 이름이 다 있다. 큰 골짜기는 '큰골'이다. 작은 골짜기는 '작은골'이다. 큰골에 있는 아주 오래된 옹달샘 이름은 '찬샘'이다. 물이 차서, 여름에 땀띠가 날 때 그 샘물로 목욕을 하면 땀띠가 죽었다.

찬샘 아래 작은 무덤이 하나 있다. 유일하게 자갈밭 옹달에 있는 무덤이다. 이 이야기는 그 무덤의 이야기이기도 하다.

옆 산이 끝나는 곳을 사람들은 '도롱곶'이라고 부른다. 도롱곶 옆에는 작은 도랑물이 있는데, 그 도랑물이 흘러오는 곳이 '우골'이다. 그래서 그 도랑물을 우골도랑이라고 한다. 비가 묻어오는 골짜기라는 뜻의 우골은 우리 마을에서 유일하게 논이 많은 골짜기다.

우골도랑을 건너면 우리 동네 뒷산이다. 나지막한 이 뒷산에 기대어 마을이 길게 자리를 잡고 있다. 우골도랑물을 건너 마을이 시작되고 뒷산이 끝나는 곳에서 마을도 끝나는데, 그곳에 약간 넓은 들판이 펼쳐져 있다. 그 들 이름은 '내집평' 이다. 들판 건너엔 우뚝 솟은 산이 하나 떡 버티고 서 있다. 그 산이 빨치산으로 유명한 '회문산' 이다. 그 산 아래 학교가 있다.

학교를 오가는 길에서 만나는 장소에도 이름이 다 있다. 내집평 들 앞에 두 개의 낮은 봉우리를 가진, 평지에서 돌출된 '학산' 이 있고, 그 산 아래 운동장 두서너 배쯤 되는 호수가 있다. 그 호수가 '용소' 다. 용소 아래 강변 같기도 하고 산 같기도 한, 그러나 강변도 산도 아닌 곳이 있다. 그 넓은 곳이 '구장네 솔밭' 이다.

드넓은 구장네 솔밭에는 작고 예쁜 소나무들, 철쭉나무, 가랑나무, 칡, 싸리나무, 아그배나무, 찔레나무 들이 있다. 솔밭에는 커다랗고 검은 바위들이 많이 있다. 산딸기도 아주 많다. 가끔씩 산토끼가 뛰어다니고, 노루도 뛰어다니고, 꿩도 곧잘 눈에 띈다. 그 아래에 바로 새말벼락바위가 있다. 이제 구유 속 같은 동네 한바퀴를 다 돈 셈이다. "야, 느그 아부지 어디 가셨냐?" 하고 누가 물어보면 "예, 우리 아부지 평밭에 일 가셨구먼이라우" 하고 대답하면 되었다.

이렇게 네모 모양으로 생긴 곳에 작은 마을인 진메 마을이 있다. 거기에 사람들이 살고 있다. 구유 속같이 산이 빙 둘러싸고 있는 곳, 그리고 아름답고 아

기자기한 강물이 흘러가는 작은 강변 마을, 그 마을이 사람들이 살고 있는 진메 마을이다. 우리 동네에서는 우리 동네만 보인다.

진달래꽃과 함께 온 정님이

진메 마을에 봄이 왔다. 마을 앞 강에는 구석구석 얼음이 다 풀리고 웅달진 큰골, 작은골에도 밝고 따스한 햇살이 찾아왔다. 여기저기 보리잎들이 새파랗게 돋아나고 사람들은 거름을 논과 밭으로 부산하게 나른다. 새들은 이 산 저 산 날아다니며 우짖어대고, 강물은 더욱 힘 있게 마을 곳곳으로 봄을 실어나르느라 바쁘다. 웅달진 산에서 자라난 소나무 아래엔 진달래꽃이 활짝 피어 강물 위에 어른거리고, 사람들은 아침부터 저녁까지 끊임없이 징검다리를 건너다닌다.

이렇듯 온 동네 구석구석에 봄이 찾아온 진메 마을에 한 식구가 이사를 왔다. 한 식구라 해야 어머니와 딸, 단 두 명뿐이었다. 이삿짐도 간단하여, 어머니라는 젊은 여인이 조금 큰 보퉁이를 머리에 이고 있는 것이 전부였다. 어머니를 따라 같이 온 여자아이는 열 살쯤 되어 보였다. 두 식구는 보리가 파랗게 자라고 아지랑이 아롱거리는 들길을 따라 그렇게 단출한 모습으로 우리 동네에 이사를 왔다.

이사를 온다고 해서 새집을 지어서 오는 것도 아니었고 집을 새로 사서 이사를 드는 것도 아니었다. 그렇다고 딱히 누구의 친척이라거나, 잘 아는 사람이 동네에 있는 것 같지도 않았다. 우리 집의 이웃집 문간방에 방을 잡아두었는데 그 집의 먼 친척이라고도 하고 아니라고도 하고 그냥 어찌어찌 아는 사이라고도 했으나 아무도 정확하게 아는 사람은 없었다. 그때는 전쟁이 끝나고 난 직후라 번듯한 꼴을 갖춘 집이 온 동네를 통틀어 두어 집밖에 없었다. 전쟁통에 네 집 내 집 할 것 없이 모두 불에 타버렸기 때문에 피난지에서 돌아온 사람들은 집터 위에 방 하나 부엌 하나, 그야말로 초막을 짓고 살며 한 집 두 집 새로 집을 짓기 시작하던 때였다. 우리 뒷집은 조금 잘사는 집이어서 그나마 부엌에다 방 두 개, 광 하나, 이렇게 네 칸 집을 지었고 대문 달린 문간방까지 만들었던 것이다.

응달진 산에 햇빛이 돌아와 진달래가 붉게 피어나고 이 산 저 산에서 소쩍새가 우는 봄날 밤, 그 여자아이는 우리 뒷집 문간방 창문에 불을 밝히고 우리 동네 사람이 되었다.

그 여자아이의 이름은 정님이였다.

정님이네 새집

앞 강 언덕의 느티나무에서 징그럽게 울던 매미 소리도 그치고 어느덧 가을이 왔다. 앞산, 뒷산, 산이란 산은 모두 울긋불긋 단풍이 들었다. 산 가득 빽빽한 아름드리 나무 솔잎들도 단풍 물이 들어 하나 둘 떨어지고 남은 솔잎들은 더욱 푸르러 보였다. 논에는 황금빛으로 익은 벼들이 베어지고 있었다. 잎이 다 진 둥그스름한 뒷산에 길게 늘어선 집들이 새 짚으로 노랗게 옷을 갈아입을 즈음, 우리 이웃에 들어 살던 정님이네는 마을에서 조금 떨어진 곳에 초가집을 지었다.

방 하나, 부엌 하나인 그 집은 동네에서 집 짓는 솜씨가 있는 사람들이 모여 함께 지었다. 지붕은 이 집 저 집에서 짚을 모아 날개를 엮어 이었고 부엌문은 헌 가마니때기로 만들었다. 마루는 없었다. 그렇게 지은 정님이네 집은 앞산에서 보면 언제나 호젓하고 쓸쓸해 보였다. 정님이네 집 옆에는 커다란 은행나무가 한 그루 있었고 뒤뜰에는 대나무 숲이 있었다. 그리고 마당으로는 알밤이 떨어졌다. 아이들과 장난을 치다가 정님이네 마당을 지나가면 집 안이 먼 데서 본 것보다 훨씬 정갈했고 정님이의 깜장 고무신도 가지런히 놓인

것이 여간 단정해 보이지 않았다.
정님이네 집은 노랗고 조그맣고 호젓하고 쓸쓸하면서도 정갈했다. 이 집이 지어져 이제 우리 동네는 서른아홉 집으로 늘어났다.
가끔씩 나는 정님이네 그 조그마한 노란 초가집이 떠올랐고 문 앞에 가지런히 놓여진 정님이의 신발이 생각났다. 소쩍새가 소쩍소쩍 우는 밤이나 달이 훤히 뜬 밤, 눈이 하얗게 소복소복 쌓이는 밤이면 그 아이가 사는 작은 초가 외딴집이 떠오르곤 했던 것이다.

정님이네 집이 지어질 때부터 동네 사람들은 초가 움막을 하나씩 뜯어내고 새로 산에서 나무를 베어다가 집을 짓기 시작했다. 우리 아버지도 커다란 기둥감이나 서까랫감들을 베어 산에 놔두었다가 마르면 가져오셨다. 한 해에도 새집들이 몇 채씩 생겨났다. 우리 동네는 그렇게 점점 제 꼴을 갖추어가고 있었다.
새집을 지을 때마다 동네 사람들 모두 그 집에 모여 지붕에 흙을 얹고 달이 뜬 밤 달빛으로 날개를 엮어 방을 들이고 벽을 발라 집을 완성시켰다. 새집으로 이사가는 날은 온 동네 사람들이 하루 종일 그 집에서 먹고 마시고 굿을 치며 놀았다.
집을 지을 때 우리들이 제일 신나하는 일은 지붕에 흙을 얹는 일이었다. 앞 논에서 구덩이를 깊게 파 흙을 파내어 마당에 갖다놓고 짚을 아기 손가락 길이만큼 썰어 흙과 버무려 축구공보다 조금 작은 경단을 만든 다음, 지붕 끝에 사다리를 걸쳐놓고 한 사람이 올라서면 그때부터 흙덩이를 공처럼 던져 지붕으로 올린다. 땅에 있는 사람이 사다리 위에 있는 사람에게 흙덩이를 던지면 사다리 위에 있는 사람은 흙덩이가 날아오는 힘을 이용해서 얼른 받아쳐 지붕으로 던진다. 마당에서 우리는 흙을 공처럼 만드는 일을 도우며 흙장난을 치기도 한다. 흙을 너무 크게 뭉쳐놓거나 묽게 뭉쳐놓으면 흙덩이를 던질 때 흙 벼락을 맞기도 하고, 짓궂은 사람은 날아오는 흙덩이를 받는 척하다가 일부러 놓치기도 한다. 그러다가 갑자기 여기저기에서 흙 싸움이 벌어져 너 나 할 것 없이 온몸에 흙을 뒤집어쓰기도 한다. 동네 사람들이 모두 모여 집을 짓는 일이야말로 재미있는 일이었으며 마을의 축제였다.

지붕에 흙을 다 얹고 노랗게 날개를 이어 집을 완성시켜놓으면 동네 사람들은 흙 냄새 나는 방 안에서 굿을 치며 술과 떡을 함께 즐겼다.

우리들의 학교, 덕치초등학교

일곱 살이 되자 우리 동네에선 일곱 명의 아이들이 학교에 가게 되었다. 여학생은 한 명도 없었고 남자아이들뿐이었다. 학교는 우리 동네에서 3킬로미터쯤 떨어져 있었다. 학교 다니면서, 우리는 처음으로 마을을 멀리 벗어나게 되었다.

그런데 막상 학교에 가보니 교실은 보이지 않고 운동장 귀퉁이 소나무 밑에 초가집만 한 채 덩그러니 서 있었다. 난리통에 학교가 불타버렸다는 것이다. 우리는 교실도 없는 학교에서 수업을 받게 되었다. 운동장 가에는 아름드리 벚나무가 학교 터를 빙 둘러싸고 있었는데 그중 한 그루에 칠판을 매달아놓고 우리는 공부를 했다.

운동장에서 조금 떨어진 곳에는 천막이 쳐져 있었고 거기에는 군인들이 살고 있었다. 아침에 학교에 가보면 군인들이 총을 메고 훈련을 받고 있기도 했다. 우리는 공부하는 것보다 군인들이 훈련받는 모습을 구경하는 것을 더 재미있어했다.

아침이면 어김없이 우리는 책보를 메고 학교로 달려갔다. 교실도 없는 학교에서 수업을 하다 보니 우스꽝스러운 일들이 자주 일어났다. 공부를 하다가도 빗방울이 떨어지면 '수업 끝' 이었다. 땅바닥에 엎드려 글씨를 쓰다가도 얼른 책보를 싸서 둘러메고 집을 향해 뛰었다.

어느 날 아침 정님이가 어머니를 따라 학교에 나타났다. 정님이는 우리보다 키가 컸고 나이도 세 살이나 위였다. 그날부터 우리 동네 1학년은 정님이까지 모두 여덟 명이 되었다.

비가 오면 공부를 하다가도 집으로 뛰어가버리고, 이른 아침이라도 빗발만 보였다 하면 '수업 끝' 인 학교는 나름대로 재미있었다. 그렇게 교실도 없이 한 학기를 보내고 나도 교실은 지어지지 않았다. 그러더니 결국 여름방학이 끝나고 2학기가 시작되면서 군인들이 학교를 짓기 시작했다. 어디에선가 큰 메줏덩이만 한 시멘트 뭉치를 가져다가 차근차근 학교를 짓기 시작했다. 교실 꼴이 잡혀가고 벽돌이 하나 둘씩 쌓여 올라갔다. 하지만 겨울이 되고 눈보라가 칠 때까지 교실이 완성되지 않아 우리는 책상도 없이 사방으로 벽만 세워져 있는 휑한 벽돌담 안에서 겨울을 맞이해야 했다. 겨울에도 비나 눈이 오면 여름과 마찬가지로 '수업 끝' 이었으니 학교 생활은 엉망이었다.

눈이 오지 않는 날에, 손발이 시려 군인들이 먹고 버린 깡통에다 불을 피우고 몸을 녹이곤 했지만 추위를 쫓아내기엔 어림도 없었다.

겨울에도 군인들은 부지런히 일을 했다. 군인들은 우리들에게 "야, 느그 누님 있냐? 있으면 이것 줄게" 하며 아이들에게 여러 가지 모양

의 깡통들을 주었다.

칼이나 낫으로 깡통을 따보면 그 안엔 오만 가지 이상야릇하면서도 참 맛있는 것들이 들어 있었다. 고기도 들어 있고 고추장 같은 것도 들어 있고 된장 같은 것도 들어 있었다. 그런 것들을 계속 얻어먹다 보니 우리 남자아이들은 모두 누님 있는 아이들이 되었고 여자아이들은 모두 언니 있는 아이들이 되었다. 그 '간스메' 라고 하는 깡통 속에 든 통조림을 얻어먹는 때가 우리에겐 공부 시간보다 훨씬 흥미로운 시간이었다.

정님이는 같은 학년인 우리들과 언제나 멀찌감치 떨어져서 집에 가고 학교에 갔다. 얌전하게 빗어 땋아 내린 머리, 얌전하게 싸서 받쳐 든 책보, 정님이는 그냥 말 없는 그림자처럼 학교를 오갔다.

수업 시간이 되면 놀랍게도 정님이는 신이 나 보였다. 우리들 중 아무도 가갸거겨나 기역니은을 몰랐지만 정님이는 책을 술술 잘도 읽었다. 우리는 신기하기도 하고 기분이 나쁘기도 하고 샘이 나기도 했다.

그 무렵 학교에서는 우윳가루를 나누어주었다. 우윳가루를 나누어주는 날 조회 시간에 검정 한복을 입은 교장선생님은 벚나무 아래 우리들을 쭉 모아놓고 무더운 여름날이건, 얼음이 꽁꽁 언 겨울 찬바람 속이건 아랑곳하지 않고 일장 연설을 했다.

"에, 오늘도 우윳가루가 다소 나왔으니, 이 우윳가루로 말할 것 같으면 우리의 큰집인 혈맹 미국에서 우리를 위해 특별히 보내온 것이다. 이 고맙고 아까운 우윳가루를 집에 가면서 퍼먹는다거나 엎지른다거나 하지 말고, 죽을 쑤든 쪄 먹든 온 집안 식구가 골고루 미국을 고맙게 생각하며 먹도록. 에, 또…….”

우리들이 땀을 뻘뻘 흘리고 귀가 빨갛게 얼어도 이야기는 끝이 없었다. 숨을 헐떡이고 발을 동동 구르고 귀를 두 손으로 감싸고 속으로 마구 욕을 해대도, 우윳가루로 시작한 교장 선생님의 훈시는 끝이 없었다. 한참 후에야 교장 선생님의 훈시가 “알았냐?”로 끝나면 우리는 학교가 떠나가도록 “예!” 하는 외침으로 대답했다. 그러고는 집에 가면서 비료 포대를 뒤집어 만든 우윳가루 봉투에 구멍을 뚫고 마른 풀로 대롱을 만들어 꽂아 숨이 컥컥 막혀올 때까지 우윳가루를 빨아먹었다. 그렇게 집에 가지고 가면 우윳가루는 절반도 채 남아 있지 않았다.

어느 날 아침 동네 아이들과 강을 따라 학교에 가고 있었다. 정님이가 우연히 나랑 가까이 걷게 되었다. 그때 정님이가 곁을 스치듯 지나가며 무엇인가를 내 호주머니에 얼른 넣어주었다. 한참 있다 호주머니에 손을 넣어보았다. 딱딱한 것이 손에 잡혀 이게 뭘까 하고 슬며시 꺼내보았더니 웬 하얀 덩어리였다. 네모반듯한 그걸 살며시 꺼내 들여다보았다. 그것은 우윳가루를 단단하게 쪄서 만든 것이었다. 입에 넣고 깨물었는데 잘 부서지지 않았다. 힘을 써 끝을 조금 깨물었더니 밤톨만 하게 부서진 우윳가루 덩어리가 입 안에 남았다. 입 안에서 오물오물거렸더니 신기하게도 그 덩어리는 아주 맛이 있고 고

소했다. 나는 혼자서 그 우윳가루 찐 덩어리를 다 먹었다.

그 후로 우윳가루가 나오는 날엔 동네 아이들 모두 우유를 그렇게 쪄 먹었다. 빈 그릇에 물을 조금 붓고 밀가루처럼 반죽을 한 다음 밥솥에 살짝 넣어두면 신기하게도 우윳가루는 단단한 덩어리가 되었다. 너무 크고 단단한 덩어리는 길가에 앉아 돌로 깨뜨려 나누어 먹었다.

1학년이 다 끝나갈 무렵 교실 지붕이 이어지고 유리창이 달리고 마루가 놓아지고 책상이 들어왔다. 집을 다 지은 군인들은 언제인지 모르게 막사를 뜯어 어디론가 가버렸다. 운동장 여기저기에 수많은 빈 깡통들만 남긴 채. 우리는 서운하기도 하고 속이 시원하기도 했다. 우리들의 초등학교 1학년은 그렇게 우윳가루, 군인, 눈비 속에 교실도 책상도 없이 훌쩍 지나가버렸다.

그 학교 이름은 덕치국민학교, 지금은 덕치초등학교다.

총알

학교에서 조회 때나 종례 때 선생님들은 늘, 총알을 주우면 학교로 가져와 신고하라고 신신당부했다. 우리가 사는 동네는, 빨치산으로 유명한 회문산이 있기 때문에 한국전쟁 때 싸움이 치열했던 곳이었다. 학교 뒤 회문산 자락에 딸기를 따먹으러 조금만 높이 올라가면 사람 뼈가 보이는 일이 종종 있어 어마, 하고 질겁을 하며 내달아 내려오곤 했다. 산이나 강변 곳곳에는 터지지 않은 수류탄이 숨어 있었고, 큰물이 지나고 나면 강물이 뒤집어져서 강변 파리똥나무나 아그배나무에 엮여진 총알들이 수도 없이 걸려 있었다. 사람들은, 군인이나 빨치산이 동네 사람들을 시켜 총알을 나를 때 꾀 많은 이들이 총알이 무거워 슬쩍슬쩍 강물에 버린 것이라고 했다.

처음에 우리는 총알들이 보이는 대로 선생님께 꼬박꼬박 갖다드렸다. 엮여진 기관단총 총알, 그러니까 람보가 어깨에 걸치고 있던 그런 모양의 총알들을 영차, 영차, 떠메고 학교로 가져갔다. 그러다가 차차 요령을 피우게 되자, 우리는 총알을 몇 개만 선생님께 갖다드리고 나머지는 집에 가는 길에 돌로 깨뜨려 화약이 든 탄피를 대충 우그러뜨려 일요일이면 꼭꼭 찾아오는 엿장수에게 주고 엿과 바꿔 먹었다.

어른들이나 선생님이 알면 큰일날 일이므로 우리는 우리만 아는 강변 바위

깊숙한 곳에 탄피들을 우그려 모아두었다가, 마을을 한 바퀴 다 돌고 빠져나가는 엿장수를 기다려 엿과 바꾸어 먹었다.

그런데 어느 날 그 일을 들키고 말았다. 강가에 버들가지가 피어나고 쑥들이 돋아나는 따뜻한 봄날이었다. 화사한 봄볕을 받으며 우리 동네 우리 반 여덟 명은, 아니, 정님이가 일찍 집에 가버리고 남겨진 우리 머슴애들 일곱 명은 강변을 헤매며 무슨 재미있는 일이 없을까, 재미있는 일이 어디 강물 속에 숨어 있지나 않을까 싶어 돌멩이라도 거들떠볼 지경이었다. 그런 심정으로 책보들을 허리에 질끈 동여매고 집으로 가고 있는데 누군가 재미있는 일거리라도 생각난 듯 제안하는 것이었다.

“야, 우리 구장네 솔밭에 퇘끼나 잡으러 갈까?”

우리는 말이 떨어지기가 무섭게 구장네 솔밭으로 달려갔다. 그리고 서로 띄엄띄엄 떨어져서 구장네 솔밭을 전부 포위한 채 우우 고함을 지르며 토끼를 몰아갔다. 한참을 그렇게 고함을 지르며 토끼를 몰았지만 꿩이 몇 마리 푸드덕 솟구쳐 강 건너 산으로 날아가고 작은 새들이 놀라며 포로롱 솔밭 위로 날아오를 뿐이었다.

우리는 토끼 꼬리도 보지 못한 채 구장네 솔밭 끝 강가에 맥없이 다다르고 있었다. 그때 강가 쪽에서 한 아이의 느닷없는 외침 소리가 들려왔다.

“야, 총알이다. 총알!”

우리는 고함 소리가 나는 곳으로 후닥닥 뛰어갔다. 아, 정말로, 총알 두어 개가 소나무 밑동 모래밭에 묻혀 반짝반짝 빛나고 있었다. 우리의 눈도 빛났다. 우리는 빙 둘러서서 구경하다 누가 먼저라 할 것도 없이 달려들어 모래 속에 묻혀 있는 총알을 주우려고 손을 뻗쳤다.

그런데 웬걸. 총알은 몇 개 정도가 아니었다. 기관단총 총알이 두름으로 엮여진 채 소나무 밑동 모래밭에서 줄줄이 딸려 나오는 것이었다. 우리는 정신없이 땅을 파고 돌멩이들을 들어내어 총알을 캐냈다. 총알은 끝없이 줄줄이 끌려나왔다. 숨이 턱턱 막혀왔다. 총알을 다 파냈을 때 우리의 몸은 땀과 모래로 범벅이 되어 있었다. 이렇게 많은 총알은 난생처음이었다. 기뻐 어쩔 줄 몰라 하면서도 한편으로 겁에 질린 우리는 숨을 할딱이며 총알 무더기를 가운데 두고 둥그렇게 둘러앉았다.

우리가 단번에 처리하기엔 총알이 너무 많았다. 모두들 떨면서 숨을 죽여가며 총알만 빤히 들여다보고 있었다. 얼마나 시간이 지났을까. 한 아이가 말을 꺼냈다.

"좋은 수가 있다. 이 총알을 감추어두었다가 두고두고 우리들이 공동으로 엿을 사먹는 거다. 누구든 이 일을 어른들이나 다른 형들에게 알리면 발설한 놈을 찾아내어 죽여버리자."

우리는 모두 그렇게 하기로 굳게 맹세했다. 땀과 모래로 범벅이 된 얼굴들은 긴장되어 보였으나, 눈빛만은 비장하게 빛났다.

그날은 총알을 몇 개만 빼내고 탄피를 감추어두었다. 우리는 총알을 빼버린 탄피를 일부러 돌로 두들겨 우그리고 흙을 묻혀 엿으로 바꾸어 야금야금 나누어 먹었다. 우리끼리만 모여 강변 커다란 바위 뒤에 숨어서 먹었다.

우리만 알고 아무도 모른다는 것이 그렇게 신나고 즐거운 것인지 몰랐다. 선생님도 부모님도 마을 형들도 아무도 모르는 그 숨 막히는 나날들이 어느 정도 지나고 총알도 거의 떨어져 이제는 엿장수를 만날 날도 얼마 남지 않은 어느 날, 한 아이가 엉뚱한 장난을 제안했다.

우리는 이제까지 총알을 빼내어 여기저기 버리고 총알과 탄피 속에 든 화약도 아무렇게나 강물에 던지거나 강변에 놔두었었다. 그런데 어느 날 강변에 불이 났을 때 유독 한 곳에서만 불이 후두둑 후두둑 치익 하며 타는 것을 발견한 것이다. 그것이 탄피 속에 든 화약이었다.

대보름날 쥐불놀이를 할 때 이따금씩 그렇게 불이 잘 타는 풀밭을 본 적이 있었다. 화약은 작은 누에만 하고 새까맣고 반질반질했다. 어른들 말에 의하면 탄피 속에 든 화약에 불이 붙어 총알이 나간다고 했다. 믿을 수가 없었다. 그 작은 탄피 속의 화약이 어떻게 그렇게 눈에도 보이지 않게 총알을 멀리 날릴 수 있으며 그 총알에 맞기만 하면 한 방에 '윽' 하고 죽는단 말인가.

비밀스러운 계획을 세운 우리는 총알을 빼내고 책보 위에 화약을 수북하게 모았다. 탄피는 불에 그슬리고 돌로 우그러뜨려서 엿과 바꿀 참이었다. 화약이 두 홉이 넘게 모이자 우리는 총알을 스무 개쯤 가지고 '용소'로 갔다. 용이 살았다는 커다란 연못. 우리가 무서워서 감히 들어가지 못하는 용소. 우리 학교 운동장보다 두 배 이상이나 더 넓은 용소. 잉어, 가물치, 붕어, 조개, 자라가 많이 사는 용소. 그 용소 제일 깊은 곳, 고기가 제일 많이 있다는 곳을 향해 총알을 가지런히 모았다. 그리고 그 위에다 소나무 삭정이를 톡톡 분질러 차곡차곡 쌓았다. 물론 총알 제일 밑에는 화약을 깔아두었다. 화약, 총알, 나뭇가지 순으로 쌓은 다음 우리는 그 총알무더기로부터 시작해 화약을 조금씩 뿌리면서 긴 줄을 만들었다. 마치 비 오기 전 작은 개미들이 이사를 가는 것처럼 말이다. 될 수 있으면 구불구불하게 바위와 나무 밑동을 돌아, 되도록 멀리멀리 화약이 다 떨어질 때까지 뿌려 기다란 선을 그렸다.

그리고 강변보다 높은 논두렁 뒤에 우리는 공격을 앞둔 군인들처럼 몸을 숨겼다. 모든 준비는 완료되었다. 이제 공격만, 아니, 불만 붙이면 용소 속에 들어 있는 잉어, 붕어, 가물치는 전멸될 것이 뻔했다. 갓난아기만 한 잉어가 총알에 맞아 붕붕 허옇게 떠오를 것이고 붕어나 가물치가 또 그렇게 떠오를 것이다. 우리는 숨을 죽인 채 성냥불을 화약의 끝에 붙였다.

“치지직!”

순간, 불꽃은 까만 개미 새끼들 같은 화약길을 따라 신나게 타들어갔다. 작은 논두렁을 넘어 돌멩이를 돌고 풀밭을 건너 나무 밑동을 지나 틀림없이 정확하게 총알이 있는 나뭇가지 뭉치를 향해 돌진해갔다.

숨 가쁜 분위기 속에서 일곱 개의 까만 머리통과 열네 개의 빛나는 눈동자가 논두렁 위에 드러났다. 우리들의 눈동자는 불꽃보다 더 반짝였다. 불은 순식간에 나뭇가지 뭉치에 기어올라 확 붙어버렸다. ‘홧!’ 소리가 크게 울리며 불꽃이 솟아오르더니 맹렬하게 타오르기 시작했다. 한참을 숨을 죽이고서 우

리는 그 불을 바라보았다. 화약을 따라가던 불이 이미 강변을 태우고 있었지만 우리들이 그걸 의식한 것은 상당히 오랜 시간이 흐른 뒤였다.

"탕!"

별안간 한 방의 총소리가 고요하던 호수와 들판과 강물을, 천지사방을 뒤흔들었다. 그리고 그 총소리를 신호로, 기다리고 있었다는 듯 연달아 총소리가 탕탕 울려퍼졌다.

우리는 고개를 숙이고 첫 총소리를 듣다가 곧이어 연달아 터지는 요란스러운 총소리에 놀라 논바닥으로 동시에 나뒹굴었다. 귀가 먹먹했다.

사람들이 고함을 지르며 뛰어오는 소리에 우리는 정신을 차리기 시작했다. 그때 강변에서는 참으로 무서운 일이 벌어지고 있었다. 불은 맹렬하게 강변을 태우고 있었다. 봄 들판에서 일하던 사람들이 구장네 솔밭으로 타들어가는 불을 끄느라 부산하게 돌아다니고 있었다.

무섭게 번지던 불길은 다행히 얼마 지나지 않아 어른들에 의해 잡혔다. 우리는 동네 어른들에게서 그리고 학교에서 몇 날을 두고두고 혼났다. 전교 조회 때는 전교생 앞에서, 학급 조회 때는 교실 앞에 나와 벌을 서고 일장 훈시를 들어야 했다. 우리는 전교생의 주목 대상이었다.

이튿날 아침 우리는 학교 가는 길에 그 깊은 호수에 가보았다. 잉어나 붕어, 큰 가물치는 한 마리도 보이지 않았고 피라미들만 푸른 물에서 헤엄을 치고 다녔다. 호수는 여느 때와 다름없이 푸르고 깊어 보였을 뿐이다.

스무 개도 넘는 총알들은 다 어디로 갔을까. 사방을 둘러보니 여기저기 탄피 껍질들이 처참하게 나뒹굴고 있었다. 꺼멓게 불타버린 강변에.

그리고 봄이 갔다.

정님이네

정님이네 집 옆에 서 있던 커다란 은행나무 잎에 노란 물이 들었다. 정님이네 집은 그림 속에 나오는 풍경사진 그대로였다. 정갈하고 좁은 마당엔 철 따라 채송화나 봉숭아, 분꽃 들이 예쁘게 피었다.

정님이네. 사람들은 정님이 어머니를 그렇게 부르기도 하고 구례댁이라고도 불렀다. 정님이 어머니, 그러니까 구례댁은 말이 별로 없었다. 정님이 어머니는 동네에서 유일하게 구구단도 외우고 한글도 읽을 줄 아는 여자였다.

어느 해엔가 정님이 외삼촌이 마을에 와서 우골에 있는 골짜기 깊숙한 곳에 논을 두 마지기 사주고 갔다. 정님이네 땅은 그것이 전부였다.

정님이 어머니는 살림을 잘했다. 산에 나무하러 갈 때엔 정님이랑 둘이 갔다. 나무를 할 줄 몰랐기 때문에 높은 산에 있는 거친 나무는 가져가지 못하고 강변에서 풀잎을 베어 가거나, 밤나무 밑에서 밤나무 잎을 긁어 갔다. 나무를 해보지 않은 솜씨여서 나무 다발이 엉성했다. 그래도 정님이는 꼭 머리에 나뭇단을 이고 내려왔다.

정님이 어머니, 구례댁은 또 바느질 솜씨가 아주 좋았다. 명절 때 남정네들 새 옷이나 초상난 집에 상주들이 입는 옷을 도맡아서 지었고, 우리들이 입을 옷도 잘 지었다.

말이 없고 수더분하다며 마을 사람들도 정님이 어머니를 좋아했다. 정님이도 얌전하고 공부도 아주 잘했다.
여름이 끝나가고 추석이 가까워오면 틀림없이 정님이 외삼촌이 왔다 갔다. 정님이 외삼촌은 정님이네가 벼를 벨 때나 모내기를 할 때, 지붕을 이어야 할 때도 꼭꼭 들렀고 큰 명절 때도 잊지 않고 찾아왔다.

추석이 지나고 나서 동네 사람들 사이에 이상한 소문이 나돌았다. 큰골 아래, 그러니까 찬샘이 있는 그 자갈밭에 아무렇게나 방치되어 있던 빨치산의 무덤이 말끔하게 벌초되어 있었던 것이다. 처음엔 동네 사람 누군가 풀을 베다가 임자 없는 무덤에 풀이 우북한 게 보기도 사납고 불쌍해서 벌초를 해주었겠거니 했는데, 어느 핸가 추석이 지난 후 그 산에 갔다 온 사람이 하는 말이 거기에 과자 부스러기 같은 음식들이 흩어져 있더라는 것이었다. 한번은 추석 가까운 새벽녘에 거기에 어떤 여인이 서 있는 것을 보았다고도 했고 어떤 사람이 풀을 베어주는 것을 보았다고도 했다.
아무튼 그 빨치산의 무덤은 그런대로 잘 보존되어 있었다. 빨치산 무덤이 있는 바로 옆 산비탈에는, 자갈이 많긴 하지만 흙이 더 많은 땅이 조금 있었는데, 어느 때부터인가 정님이네가 무덤 옆에 밭을 만들어 배추나 무를 가꾸기 시작했다.
나중에 사람들은 정님이네가 그 빨치산과 무슨 관계가 있다고 수군거렸지만 내놓고 이야기들은 하지 않았다. 사람들과 함께 보리밭을 맬 때 그 무덤 이야기가 나와도 구례댁은 얼굴색 하나 변하지 않는다는 것이었다.

시간이 갈수록 구례댁에 대한 소문이 무성해졌다. 구례의 어떤 부잣집에서 식모로 있다가 주인 남자와 눈이 맞아 정님이를 낳고 쫓겨왔다는 둥, 정님이네 아버지가 빨치산으로 나가서 죽었는데 아무도 몰래 우리 동네로 이사를 와서 숨어 산다는 둥, 밤에 어떤 남정네가 몰래 다녀간다는 둥, 말이야 많았지만 아무도 정확한 이야기를 확인할 수 없었다. 확실한 것은 이제 정님이나 구례댁이 우리 마을 사람이 되었다는 것이었다. 얌전하고 일 잘하며 공부 잘하는 딸을 둔 우리 동네 한 가구였다.

정님이네 집 바로 앞에 있는 샘에 물이 마를 정도로 날이 가물면 정님이가 이따금씩 동네 아래 가운데에 있는 큰샘까지 작은 동이를 이고 물을 길러 오곤 했다.

정님이네 집에 가려면 우리 집 옆길을 지나야 했기 때문에 나는 정님이가 물동이에 물을 가득 담고 비탈진 길을 올라가는 것을 종종 볼 수 있었다. 땋아 내린 정님이의 머리 위로 물동이 속에 엎어놓은 물바가지가 노랗게 보일 때도 있었다. 박꽃이 하얗게 피어난 담장길과 물동이를 인 정님이의 모습은 언제 보아도 예뻤다. 정님이는 내가 인사를 하려고 "야, 정님아" 하고 불러도 돌아보지도 않은 채 그냥 자기 집으로 올라가버리곤 했다.

어느 날 우리 어머니가 밀을 갈아 개떡을 만들어 뒷집과 큰집에 돌리면서 정님이네 집에도 갖다주라고 나에게 심부름을 시켰다. 나는 좀 늦은 시간이어서 안 가겠다고 고집을 피웠지만 어머니가 야단을 치는 바람에 결국 개떡을 접시에 담아가지고 정님이네 집에 갔다.

마침 정님이네 집에선 정님이와 정님이 어머니가 부엌에서 음식을 장만하고 있었다. 고사리도 삶고 토란잎도 물에 담가놓고 솥에는 무슨 떡을 하는지 작은 시루가 걸려 있었다.

무슨 날인가 보다 하며 집에 돌아와 어머니에게 정님이네가 떡을 한다고 전했더니 어머니는 무슨 일인가 하고 고개를 갸웃거렸다. 우리 어머니는 글자는 모르지만 저 아래 끝 집에서 저 위 끝 집까지 모든 식구들의 생일은 물론 제삿날까지 쫙 외우는 분이었다. 그래서 "어이, 안터댁네 큰아들 내일 아침에 생일 아녀" 하면 "오메, 그렇구먼. 큰일날 뻔했네. 근디 통안이댁은 어찌 그리 남에 집 새끼 생일 날까정 다 알고 있으까" 하며 동네 아주머니들이 혀를 내두를 지경이었다. 그러나 어머니는 딴 동네에서 이사 온 정님이네 집의 무슨 날은 모르고 계셨다. "아마, 오늘 저녁에 그 집 누구 제산갑다" 하고 중얼거리실 뿐이었다.

달이 훤하게 뜬 그날 밤 정님이네 집에는 오래도록 불이 꺼지지 않았다.

꽃눈 날리던 날

화창한 봄날이었다. 봄이 오면 언제나 학교 운동장 가에는 벚꽃이 화려하게 피어났다. 덕치초등학교는 신작로 가에 있었다. 경사가 급한 교문 부근에서 내려서면 바로 신작로였다. 교문은 폭이 30미터쯤 되었고 양쪽에 아름드리 벚나무들이 심어져 있었다. 교문이 끝나는 곳도 운동장을 빙 둘러 또 그렇게 커다란 벚나무들이 심어져 있었다. 벚나무들은 봄마다 꽃구름처럼 꽃을 피워냈다.

벚꽃이 필 때 학교 가는 길에서 학교를 보면 흰 구름 띠가 학교를 감싸고 있는 것처럼 보였다. 그 벚꽃나무는 덕치초등학교 1회 졸업생들이 심어놓은, 모두가 보물처럼 소중하게 생각하는 나무였다.

운동장 가에 벚꽃이 활짝 피어 학교가 환해지면 꽃 그늘 아래 뛰어 노는 아이들의 얼굴도 화사했다. 바람이 불지 않아도 하얀 꽃이파리들이 눈송이처럼 천천히 떨어졌다. 바람이 불면 꽃이파리들이 우수수 떨어지며 학교 곳곳을 붕붕 날아다녔다. 꽃잎들이 바람에 지는 소리, 꽃잎들이 바람에 날려 다니는 모습은 참으로 아름다웠다.

수업 시간이 끝나고 쉬는 시간이 되면 아이들은 운동장으로 나가 꽃 그늘 아래에서 고무줄놀이도 하고 벚나무 근처에 모여 숨바꼭질도 하며 놀았다. 그렇게 놀다가 꽃이파리들이 떨어지면 아이들은 뛰어다니며 하얀 꽃이파리를 손으로 받거나 고개를 뒤로 젖힌 채 혀로 날름날름 받아먹기도 했다. 바람이 불 때 꽃이파리들은 하얀 동그라미가 되어 또르르 또르르 운동장을 굴러다녔다. 그러면 아이들은 또 그 꽃이파리를 좇아다녔다.

우수수 우수수 떨어져 우리 어깨나 머리에 얹히고 굴러다니다가 움푹한 곳에 쌓일 때면 꽃이파리들은 꼭 눈송이 같았다. 아이들은 "눈 온다, 눈" 하며 재미있어했다. 어쩔 때는 흰 나비처럼 나풀나풀 교실까지 날아와, 공부하는 아이의 머리나 책에도 살며시 앉곤 했다.

어느 날, 한 여자아이가 유리창에 이마를 대고 조용히, 눈송이처럼 날리는 꽃이파리들을 바라보는 모습이 내 눈에 들어왔다. 난 그 아이를 처음 본 듯 깜짝 놀랐다. 그렇게 그림같이 서 있는 아이의 땋아 내린 머리채를, 뒷모습을, 나도 모르게 가만히 바라보고 있었다. 수업 시작을 알리는 종이 울리고 아이들이 우르르 교실에 몰려왔다. 난 그 여자아이 생각이 나서 자리를 돌아다보았다. 그때 그 아이와 나의 눈이 마주쳤다.

그 여자아이는 놀랍게도 정님이였다.

날마다 우리들과 같이 학교와 집을 오가던 아이. 늘 책보에 손을 얹고 멀찌감치 떨어져 말없이 우리들을 따라오던 아이. 어떤 때는 우리 누님 같기도 하던 아이. 그 아이가 바로 그 정님이였던 것이다. 나는 왜 그때서야 정님이를 그

렇게 자세히 보았을까.

나와 눈이 마주치는 순간 정님이는 흰 이빨이 살짝 드러나게 웃었다. 아니, 웃는 것 같았다. 아니, 그냥 나 혼자 그렇게 생각했는지도 모른다. 정님이는 다 알고 있는지도 모른다, 내가 자기 뒷모습을 훔쳐본 것을.

수업 시간이 어떻게 지나갔는지 모르게 후딱 끝나버렸다. 웃음이, 그 살짝 웃는 것 같았던 얼굴이 내 낯을 붉어지게 하고 가슴을 뛰게 했다. 벚꽃이 다 질 때까지 정님이는 학교 곳곳에서 그렇게 꽃을 배경으로 그림처럼 서 있었다. 운동장 가 벚나무 꽃 그늘 아래서 꽃잎을 맞으며 강물을 바라보고 있었고 강 건너 마을을 바라보고 있었다. 비가 오는 날에도 쉬는 시간이 되면 정님이는 아이들의 시끄러움 속에서 언제나처럼 그렇게 조용히 창 밖을 향한 채 서 있었다. 그렇게 서 있는 정님이의 모습을 쳐다보고 있노라면 아이들의 떠드는 소리도 학교의 소란스러움도 어디론가 사라져버리고 늘 마음이 한적하고 고요해졌다.

쉬는 시간이 되면 내 눈길은 정님이를 찾았다. 때때로 우린 눈이 마주쳤고 그 아이의 웃는 듯 마는 듯한 미소를 나는 보았다.

그 무렵에야 나는 정님이의 얼굴 생김새를 처음으로 자세히 보게 되었다. 이마는 넓고 눈은 컸으며 얼굴은 둥글게 생겼고 흰 저고리에 검정 치마를 입고 흰 버선을 신고 있었다.

정님이와 나의 첫 봄이 그렇게 갔다.

그때 우린 4학년이었다.

꼴 따먹기

또 한 해를 보낸 진메 마을에 봄이 찾아왔다. 얼음이 다 풀리면 강변 잔디 위에 아지랑이가 아롱거리고, 고기들은 바위 밑이나 풀숲 깊은 물속으로부터 하나 둘 나타난다.

물소리, 새소리가 새롭게 들려오고, 비라도 내리면 앞산 밭에 심어진 보리들은 더욱 푸르게 살아나고 쑥쑥 자라난다.

버들피리를 불며 나물 캐러 다니던 말만 한 누님들이나 지게 목발을 두드리며 산을 오르던 큰형들은 바빠진다. 누님들은 끼리끼리 보리밭을 매야 하고 큰형들은 나뭇가지에 잎이 다 오르기 전에 여름에 땔 나무들을 해야 한다.

큰골에 진달래가 피고 찔레 순이 돋아나면 어느덧 강변에 붉은 소들이 매어진다. 아이들은 학교 갔다 와서 꼴망태를 들고 강변으로 가서 망태 가득 풀을 벤다. 자운영꽃, 토끼풀꽃이 만발한 강변에서 산그늘 내리도록 꼴을 베다 망태가 절반쯤 차오르기 시작하면 그때쯤 꼴 따먹기 놀이를 시작한다.

한 주먹씩 풀을 베어다가 모아 쌓아두고 낫 끝이나 낫자루를 잡고 기술을 부려 힘껏 팔을 돌려서 낫을 던진다. 낫이 날아가 날이 땅에 꽂히면 풀을 가져가는데, 낫자루가 땅에 닿으면 모아둔 풀을 절반쯤 가져가고, 날만 땅에 꽂히면 모아둔 풀을 모두 가져간다. 모아둔 풀을 모두 가져가면 망태가 찬다.

아이들의 망태가 다 차도록 꼴 따먹기는 계속된다.

어느 날 그렇게 꼴 따먹기를 하고 있는데 정님이가 징검다리 빨래터에서 빨래를 하며 우리들이 꼴 따먹기 하는 것을 힐금힐금 보고 있었다. 가슴이 두근거렸다. 내 차례가 된 것이다. 손이 떨렸다. 나는 숨을 한번 크게 내쉬고 낫 끝을 살짝 잡았다. 낫의 날이 서늘하게 마음을 식혀주었다. 정님이가 지금 보고 있겠지. 나는 낫 끝을 잡고 허공을 향해 팔을 빙글 돌렸다. 낫 날이 허공에서 지는 햇살을 받아 반짝 빛났다. 그때 손에서 선뜩한 느낌을 받았다. 허공을 날던 낫 끝이 정확하게 땅에 꽂혔다. 아이들이 고함을 질렀다. 나는 얼른 손을 들여다보았다. 피가 뚝뚝 떨어지고 있었다. 낫 날이 내 손을 떠나면서 검지 끝을 베고 지나간 것이다. 피가 뚝뚝 떨어져 풀잎 위에 빨갛게 맺혔다. 아이들이 우르르 달려와 쑥을 찧어 내 상처에 대고 눌러주었다. 심상찮은 눈치를 챘는지 정님이도 얼른 달려와 헌 걸레 조각을 찢어서 내 손을 싸매주었다. 내 손을 잡은 정님이의 손은 따뜻하고 촉촉하고 부드러웠다.
해가 지고 산그늘이 서늘하게 내리는 강변 풀밭에 푸른 어둠이 찾아오고 있었다. 빨간 핏방울들이 떨어져 하얀 토끼풀꽃이 어느새 자운영꽃처럼 붉게 물들어버렸다.
집에 오자 어머니는 솥 밑에서 검은 숯을 긁어내어 내 손의 찢어진 부분에 털어넣고 천으로 꽉 매주었다.

피가 흐르던 내 손에 정님이가 걸레 조각을 찢어 싸매어줄 때였다. 내가 고개를 숙였다가 잠시 드는데, 정님이와 눈이 마주쳤다. 나는 그 장면을 떠올리며 아린 손을 부여잡고 잠이 들었다.

우리의 두 번째 눈맞춤이었다.

우산 속에서

4교시가 끝나면 청소를 하고, 청소가 끝나면 점심 시간이다. 점심 시간이 되면 선생님들은 학교 바로 아래 있는 마을의 하숙집으로 식사를 하러 가신다. 교무실은 텅텅 비워둔 채로.

점심을 먹고 나서 물을 마시러 가다가 교무실을 지나가는데 우리 선생님 책상 위에 시험지가 놓여 있는 게 보였다. 그날 본 시험지였다. 채점하시다가 시험지를 그냥 책상 위에 두고 점심을 드시러 가신 모양이었다.

나는 내 점수가 궁금했다. 교무실에는 아무도 없었고 아이들은 모두 운동장에 나가 있었다. 두근거리는 가슴을 진정시키면서 슬금슬금 교무실로 들어가 선생님 책상 위의 시험지를 살펴보았다. 붉은 동그라미와 소낙비 줄기처럼 사정없이 그어내린 붉은 선들이 보였다. 나는 황급히 시험지를 넘겨보았다. 내 것이 보이지 않았다. 두 장을 한꺼번에 잘못 넘겼나? 나는 처음부터 다시 넘겨보았다. 내 시험지가 나왔다. 재빨리 점수를 보았다. 국어 과목 시험지였는데 75점으로 기록되어 있었다.

다시 시험지를 챙기고 있는데 이상한 기운이 등 뒤에서 느껴졌다. 가슴이 덜

컹 내려앉았고 등에 식은땀이 흘렀다. 언제 오셨는지 선생님께서 내 모습을 내려다보고 계셨던 것이다. 나는 이제 죽었구나. 눈앞이 캄캄했다.

나는 두 눈을 질끈 감았다. 무섭기로 유명한 우리 선생님의 성난 얼굴이 스쳐 지나갔다.

나는 엎드려 뻗쳐를 당하고 1미터 자로 엉덩이를 맞았다. 맞는 중에 무엇인가 뚝 부러지는 소리가 들렸다. 각목으로 얇게 깎아 만든 1미터 자가 내 엉덩이 위에서 뚝 부러져버린 것이다. 선생님은 화가 더 치미는지 부러진 자로 두어 대 더 때리시더니 두 손 들고 무릎을 꿇고 있으라고 시키셨다. 나는 고개를 푹 수그리고 두 손을 들고 아픈 엉덩이를 들썩거리며 무릎을 꿇었다. 교무실에 들어오는 선생님들마다 나를 보고 한마디씩 던졌다.

"어, 요놈. 요 쪼그만 놈 봐라. 너 뭔 일로 벌 받냐?"

그럴 때마다 우리 선생님은 똑같은 소리로 대꾸했다.

"아, 글쎄 요놈이 채점하고 있는 시험지를 보고 있더랑께. 점수도 쬐끔 맞은 놈이."

5교시가 되어 나는 풀려나와 교실로 돌려보내졌지만 다시 오후에 남아 벌을 서야 했다. 아이들이 모두 집에 돌아가고 난 학교는 조용했다. 교무실 복도에 무릎을 꿇고 앉아 있는데 갑자기 빗방울 소리가 들렸다. 빗방울은 금방 굵어지더니 주룩주룩 내리기 시작했다. 선생님은 나를 잊어버렸는지 쳐다보지도 않았다. 나는 처마 끝에서 떨어지는 낙숫물같이 커다란 눈물 방울을 복도 바닥에 떨어뜨렸다.

큰일이었다. 아침엔 날씨가 멀쩡했는데 비가 오고 있으니, 집에 혼자 돌아갈 일 때문에 덜컥 겁이 났다. 물이 불면 개터로 가지 못하고 한참 돌아가야 하는데 그러면 십 리는 못 되어도 40분은 더 걸리는 거리인데 어쩐다지. 나는 고개를 떨군 채 선생님이 내가 지금도 여기서 벌을 서고 있다는 것을 기억해 주기만을 기다렸다. 그때 교무실 문이 드르륵 열렸다.

"어, 이놈 여태까정 여기 있네. 어이 김 선생, 자네 새끼 시방도 여기 있어. 이제 집에 보내지그려. 비도 오는디."

그때야 생각난 듯 선생님은 나더러 집에 가라며 일어서라고 했다. 일어서니 팔이 뻐근하고 잘 움직여지지 않았다. 무릎도 잘 펴지지 않아 한동안 어기적거리다가 겨우 일어나, 책가방을 가지러 갔다. 그런데 교실 문을 열자 아, 그때 정님이가 교실 정리를 마치고 막 집에 가려 하고 있었다. 너무 뜻밖이고 반가웠다.

밖에는 비가 주룩주룩 내리고 있었다. 우리 집은 가난해서 비가 올 때는 우산 없이 학교에 오가곤 했다. 비가 오면 어머니는 비료 포대를 뒤집어쓰고 가게 했는데, 지금은 그마저도 없었다.

걱정이었다. 책보를 윗옷 속에 넣고 질끈 동여맸다. 어떻게 할까 고민하면서 운동장에, 산에 내리붓는 비와 처마 끝에서 나란히 떨어지는 물방울을 바라보고 있었다. 그때 정님이가 교실에서 나와 내 옆에서 살짝 우산을 폈다. 정님이는 어디에서 구했는지 우산을 쓰고 있었던 것이다.

나는 가슴이 두근거렸다. 얼른 우산 속으로 들어설 수가 없었다. 정님이는 내가 우산 속으로 들어가지 않자 저만큼 운동장으로 나가더니 나를 돌아보며 웃음을 짓고는 외쳤다.

"빨리 이리 와. 빨리 이리 오랑께."

우산 끝에서 빗방울들이 둥그런 원을 그리며 정님이를 에워싸고 있는 것 같았다. 나는 얼른 뛰어가 우산 속으로 들어갔다. 가슴이 뛰고 숨이 가빠져왔다. 꿈만 같았다. 정님이의 오른쪽에 서서 나는 걸었다.

교문을 나서자 집에 가는 길이 빗속에 구불구불 멀리 보였다. 강물도 많이 불어나 붉은 물이 흘러가고 있었다. 우리는 몸이 서로 부딪치기도 하고, 손길이 스치기도 했다. 얼마쯤 그렇게 걸어가자 차차 마음이 진정되어갔다. 그러고 보니 이렇게 좋은 우산을 써본 것은 처음이었다. 나는 궁금해져서 물었다.

"야, 이 우산 어디서 났냐?"

"선생님이 빌려주셨어."

정님이는 이렇게 대답했다. 그럼 그렇지, 아침에 비도 오지 않았는데 우산이 어디서 났을라고.

이윽고 자갈이 깔린 신작로가 눈앞에 펼쳐졌다. 비가 오고 있는데 나는 어디에다 어떻게 손을 두어야 할지 몰라 발끝만 쳐다보며 걸었다. 몸이 뒤뚱거릴 때면 정님이의 어깨에 내 머리가 닿았다. 그럴 때면 정님이의 어깨에서 따뜻함이 전해져왔다.

정님이와 몸이 닿을 때 흠칫 놀라고 가슴이 뛰어, 일부러 조금 떨어져 걸으면 어깨에 빗방울이 뚝뚝 떨어졌다. 우산을 쓰긴 했지만 우리는 집에 가기도 훨씬 전에 옷이 흠뻑 젖어버렸다.

우산 위로 떨어지는 빗소리는 후드득거리고 우산 끝에서 떨어지는 빗방울은 우리를 세상으로부터 차단하는 것 같았다. 어쩔 때는 기분이 편안하고 아늑했다. 빗줄기 속에서 생겨난 우리들만의 이 좁은 공간은 세상에서 가장 아름답고 따스했다.

한참 그렇게 집에 가는데 느닷없이 정님이가 그때서야 생각난 듯 물었다.

"너 왜 인자 가게 되었냐?"

나는 아무 말도 하지 않고 고개를 숙이고 걷기만 했다. 저도 뻔히 아는 것을 그냥 묻는 듯했기 때문이었다. 한 마을 앞을 지나는데 아이들이 비 속에서 놀다가 우릴 보고 놀려댔다. 그렇게 한동안 걸었더니 우리 동네가 보이기 시작했다. 함께 가면서 이것저것 이야기를 꽤 한 것도 같았는데 나는 무슨 얘길 했는지 아무 생각도 나지 않았다.

이상했던 것은 평소에 그렇게 멀게만 생각되던 우리 동네가 그날따라 가깝게 느껴졌다는 것이다. 그리고 그것이 그렇게도 서운했다는 것이다. 비 오는 날, 그 우산 속의 빗방울 소리, 부딪칠 때마다 따뜻하게 느껴지던 정님이의 어깨는 두고두고 내 가슴을 뛰게 했다. 그날 밤 끊임없이 흐르던 강물의 요동 소리처럼.

우산 속에서 정님이는 가만가만 노래를 부르기도 했다.

비야 비야 오는 비야
꿩의 길로 가거라
토끼 길로 가거라
까치 길로 가거라
우리 오빠 장에 가서
소금하고 저고릿감하고
사가지고 돌아올 때
비 때문에 못 온단다

이 노래를 부르며 나를 보고 씩 웃던 정님이의 환하기도 하고 그늘이 진 것도 같은 얼굴을 나는 잊을 수가 없었다.

그날 밤 꿈에 나는 정님이와 함께 어딘가를 걸었다. 강변인 것도 같고 들판인 것도 같고 산속인 것도 같고, 아니면 생전 생각해보지도 않았던 어딘가를 헤매는 것도 같았다. 그러다가 꿈에서 깨어나곤 했다. 꿈에서 깨어날 때마다 나는 안타깝고 아쉬운 마음에 다시 잠을 청했다.

파란 칡잎에 빨간 산딸기

학교 가는 강변길엔 초여름부터 온갖 딸기들이 열리기 시작한다.

아이들은 자기가 발견한 딸기를 칡잎이나 가랑잎이나 풀잎으로 몰래 숨겨놓고 익기를 기다린다.

농번기 방학이 끝난 학교 길은 '함박때왈' 이 익을 때다. 아이들은 방학 전에 자기가 보아둔 곳으로 달려가 딸기를 따먹거나 칡 잎에 따 모아 학교로 가져간다. 어느 날 나는 내가 보아둔 함박딸기를 찾아 구장네 솔밭 깊숙한 곳의 강가로 뛰어갔다. 내가 보아둔 딸기가 있는 곳은 아무도 모르는 곳이었기 때문에 여전히 딸기가 빨갛게 풀 속에 숨어 있었다. 딸기는 아주 크고 빨갛고 토실토실하고 탱탱하게 익었다. 입 안에서 저절로 군침이 돌았다. 침을 꿀꺽 삼키고 두어 개를 따서 입에다 넣었다. 으으으, 몸이 움츠려지도록 딸기는 시고 달았다. 몇 개를 따먹다가 나는 딸기나무 옆에 있는 넓적한 칡잎 위에 얼른얼른 딸기를 따 모았다. 금방이라도 아이들이 후두두 이슬을 털며 달려와 "너, 뭣 혀!" 할 것만 같아 가슴이 조마조마했다.

나는 넓적한 칡잎을 몇 장 더 따서 여러 겹으로 딸기를 고이 싼 다음 책보 속에 살며시 집어넣고 껴안았다. 으깨지지 않도록 조심조심 책보를 들고서 아이들이 가는 길로 달려갔다. 이 딸기를 정님이 주어야지. 근디 어치게 줄까, 언제 어치게 줄까. 이런 생각을 하며 풀숲을 헤치고 가다가 나는 그만 걸음이 딱 멈춰지고 말았다. 저만큼 앞에서 정님이가 딸기를 따서 칡잎에 담고 있었던 것이다. 손바닥에 올려놓은 푸른 칡잎에 빨간 산딸기가 너무 선명하게 보였다. 난 나도 모르게 "어" 하며 책보 속에 넣어둔 딸기를 꺼내어 정님이에게 불쑥 주고 말았다. 얼굴이 후끈거렸다. 정님이의 얼굴을 차마 바라볼 수가 없었다. 정님이가 내가 준 파란 칡잎을 펴보고 그 위에 얹힌 빨간 딸기를 들여다보는 모습이 자꾸 어른거렸다.

아이들이 멀리서 줄을 지어 가는 모습이 보였다. 후우, 숨을 몰아쉬고 나는 마구 달려가 아이들의 뒤꽁무니에 따라붙었다. 학교 가는 길은 멀고 우리들은 바빴다. 어떤 아이들은 손바닥에 올려놓은 딸기를 하나하나 집어먹으며 걸어갔다. 마침내 학교가 보이고 우리들은 징검다리를 건넜다.

그날 학교에서 나는 정님이의 눈길을 마주할 수 없었다. 정님이는 여전히 얌전하고 다소곳하게, 조용하고 큰 눈망울로 잔잔하게 웃고 있었다.

점심 시간이 끝나고 수업 시간이 시작되어 나는 책과 공책을 꺼내려고 책장 속에 손을 집어넣었다. 그때 무엇인가 손끝에 서늘하게 와 닿았다. 나는 그것을 얼른 꺼내어 보았다. 칡잎이 파랗게 보였다. 주먹만 한 파란 칡잎 덩어리를 나는 조심스럽게 펼쳐보았다. 아, 또렷하고 소담스런 함박때왈이 빨갛게,

빨갛게 칡잎 위에서 허물어졌다. 나는 얼른 다시 책장 속에 그걸 집어넣었다. 가슴이 쿵쿵 뛰고 앞이 캄캄했다. 한참 동안 눈을 감고 숨을 고른 다음 나는 아무렇지 않은 듯 수업 시간을 보냈다. 풀밭에서 칡잎에 딸기를 따서 담고 있던 정님이 모습이 자꾸 떠올랐다.

우리 둘이 처음 주고받은 선물이었다.

정님이의 따뜻한 등

정님이는 늘 우등상을 받았다. 나는 기껏해야 개근상, 아니면 정근상도 탈까 말까 했다.
한 학년이 올라가자 정님이는 키가 더 컸고 붉은 댕기를 머리끝에 달았다. 길게 땋아 내린 치렁치렁한 머리끝에 붉은 갑사댕기가 이따금씩 바람에 나풀거렸다.
수업 시간에 우연히 정님이와 눈이 마주치면 나는 그냥 좋았다. 운동장에서 고무줄놀이를 할 때면 팔짝팔짝 뛰어다니는 정님이의 머리채가 찰랑찰랑 흔들거렸다. 남자아이들이 칼을 가지고 달려가 고무줄을 잘라버려도 정님이는 그냥 웃기만 했다. 체육 시간이나 운동회 때도 나는 정님이와 한 편이 되어야 기운이 났다.
정님이는 까만 통치마에 흰 적삼이나 노랑 저고리를 입었다. 소매 끝이나 섶엔 꽃자주색 천을 달았고 고름은 자줏빛이었다. 정님이의 어머니가 곱게 지은 한복이었다.
바람이 불면 옷고름이 휘날리며 정님이의 목을 휘감기도 했다. 그런 모습으로 보리밭길, 논두렁길을 걸으며 바람을 타는 정님이의 모습은 언제 보아도 예뻤다. 우리들은 바람에 술렁이는 보리밭길, 메뚜기 뛰는 가을 논두렁길, 눈 펄펄 날리는 강변길을 걸어서 그렇게 학교에 가고 집에 왔다.

어느 날이었다. 그날도 학교에 갔다 온 우리들은 꼴망태를 둘러메고 강변으로 나갔다. 자운영꽃, 토끼풀꽃이 눈송이같이 흰쌀밥같이 피어 있었다.

우리들은 잘 드는 낫으로 풀들을 베어 꼴망태 절반이 넘게 채우고 나서 언제나처럼 꼴 따먹기를 했다. 나는 그날은 웬일인지 성과가 별로 좋지 않았다. 몇 차례 다른 아이들이 꼴을 따먹고 나자 나는 다시 꼴을 베었다. 부지런히 베느라고 풀을 한 줌씩 잡고 베는 게 아니라 착착 낫을 땅에 깔고 풀을 마구 쓰러뜨리고 나서 가지런히 거두었다.

그렇게 반복하며 풀을 쓰러뜨리는데, 낫 끝에 쨍 하고 돌이 걸리는 소리가 났다. 내 발 어딘가 쓱 베어지는 느낌이 들었다. 발가락 끝이 멍멍했다. 엄지발가락 끝에서 피가 마구 쏟아졌다. 손은 금방 피로 범벅이 되었다.

아이들이 달려와 나를 둘러쌌다. 피가 너무 많이 흐르자 한 아이가 집으로 달려가 우리 어머니를 모시고 왔다. 어머니는 나에게 발가락을 꽉 잡으라고 하고는 나를 업고 집으로 달려갔다. 어머니는 솥 밑에 있던 숯과 된장을 버무려 발가락 상처에 대고 천을 싸맸다. 피가 멎으면서 쓰리고 아팠다. 하마터면 살점이 떨어져나갈 뻔했다며 어머니는 다행이라고 했다. 그날 저녁 나는 발가락이 아려 잠도 제대로 자지 못했다.

손가락을 다치는 것은 아이들에겐 별일이 아니었다. 그러나 발가락은 고약

했다. 학교 길이 멀기도 하고, 비가 조금이라도 오면 물에 잠겨버리는 징검다리를 두 곳이나 건너야 했기 때문이다. 게다가 우리가 날마다 건너다니는 시냇물의 징검다리 돌은 서른 개도 넘었다.

내 발가락은 좀체 낫질 않았다. 비가 오지 않는 날은 이냥저냥 아이들과 절뚝거리며 신 한 짝을 들고 발뒤꿈치로 디뎌 학교에 갔지만 비가 조금이라도 오면 큰 걱정이었다. 어쩔 땐 형들이 업어서 건네주기도 했다.

어느 날 아침 나는 늦게 밥을 먹고서 아이들이 다 지나가버린 학교 길을 혼자 걸어갔다. 한쪽 손에 벗은 신을 들고 한쪽 어깨에 책보를 메고 절뚝절뚝 걸어갔다.

처량하고 심란했다. 비가 와서 용소 꼬리의 징검다리가 약간 물에 잠겨 있었다. 나는 깨금발로 조심스럽게 폴짝폴짝 뛰어 건널 수 있었다. 용소를 지나 시냇물에 다다랐다. 징검다리 가운데쯤에 돌 몇 개가 물에 잠겨 있었다. 아이들이 신발을 적시지 않으려고 징검돌 위에다 돌멩이를 얹어놓았지만 물을 하나도 묻히지 않고 건너기란 어려웠다. 가운데쯤에 그렇게 놓인 돌멩이를 가만히 바라보며 어떻게 해야 하나 걱정하고 있는데 등 뒤에서 인기척이 느껴졌다.

나는 얼른 돌아다보았다. 정님이였다. 정님이는 빙그레 웃더니 내 앞에 있는 징검돌로 풀쩍 뛰어가 가장 넓적한 징검돌 위에 서서 몸을 낮추었다.

"너 나한테 업힐래?"

내가 부끄러워 얼굴이 붉어진 채 어쩔 줄을 모르고 있는데도 정님이는 아무렇지도 않은지 재촉하는 것이었다.

"빨리 업히랑께. 핵교 늦겠다."

나는 마지못해 정님이에게로 다가갔다. 정님이가 자기 머리채를 앞가슴으로 잡아 넘기고 나를 등에 업었다. 정님이의 책보는 정님이의 등과 내 가슴 사이에 넣고 내 턱으로 눌러 고정시키고, 내 책보는 내 한 손으로 들었다. 그리고 나머지 한 손으로는 정님이의 둥그스름한 어깨를 살짝 잡았다. 파란 하늘이 비친 아침 강물 속에 피라미 새끼들이 몰려다니고 있었다. 바람이 살랑 불어 옷고름이 정님이의 어깨를 넘어와 나풀거리며 내 얼굴을 간지럽혔다. 나는 옷고름 끝을 만지작거렸다. 정님이의 등은 따뜻했다.

그날 이후 나는 정님이의 등에 업히고 싶어 아침마다 늑장을 부렸다. 정님이는 집에서 설거지를 끝내고 학교에 가야 했기 때문에 언제나 제일 늦게 학교길에 나섰다. 발가락이 다쳐 있는 동안 나는 매일 집에서 꾸물거리며 정님이의 등교 시간을 기다렸다. 그러다가 어머니에게 꾸중을 듣기도 했다.

어느새 발가락은 거의 다 아물었다. 어머니는 이제 숯도 된장도 발라주지 않았다. 어쩌다 발가락의 붕대를 풀어보고는 "다 나았구먼. 너 꾀병 부릴라고 그것 처매고 다니지?" 하며 꾸지람을 하셨지만 나는 계속 발가락이 아파야 했다. 될 수만 있다면 여름 내내 발가락이 아팠으면 싶었다.

그러던 어느 날이었다. 용소 꼬리에서 나를 업어 건네주고 강변길을 함께 걷고 있는데 정님이가 나에게 낚시를 하나 주었다.

나는 화들짝 놀랐다. 그때는 낚시를 갖는다는 것이 냇가에 있는 고기를 다 갖는 것과 맞먹는 일이었다. 낚시를, 그것도 시장에서 산 낚시를, 용소 가에서 수염 허연 할아버지가 낚시질할 때 쓰던 그 낚시를 갖는다는 것은 하늘의 별을 딴 것과 마찬가지였다.

그 낚시를 정님이가 나에게 주다니, 나는 날아갈 듯이 기뻤다. 징검다리에서 신나게 고기 낚는 내 모습이 눈앞에 그려졌다.

낚시를 갖고 있지 않았던 우리는 귀가 터진 바늘이나 좀 쌍짱한 철사를 작은 막대기에 대고 동그랗게 휘어감아 낚시를 만들었다. 낚시 끝은 숫돌에 갈아 뾰족한 바늘 끝처럼 만들었다. 하지만 좀 덩치가 있는 고기가 물면 낚시가 다시 펴져 고기가 빠져나가버렸다.

낚시를 받고 기뻐 어쩔 줄 모르는 나를 뒤에 두고 한참을 아무 말 없이 가던 정님이가 갑자기 말을 꺼냈다.

"야, 너, 너 말야, 그러니까……."

"뭔디, 말혀봐. 아, 말혀보랑께."

"아녀, 암것도 아녀."

정님이는 도로 입을 다물고 무슨 깊은 생각에 잠겨, 내가 제 뒤에 가고 있다는 것도 잊은 듯 혼자 걸어갔다.

한참을 그렇게 걷는데 정님이가 뒤도 돌아보지 않은 채 다시 말을 꺼냈다.

"야, 너 옛날, 난리가…… 그러니께, 6 · 25 전장이 끝나고 나서 한참 있다가 우리 동네에서 빨치산이 한 명 죽었다는디, 너는 봤냐?"

나는 정님이가 하는 소리가 무슨 소린지 몰라 한참을 멍하니 걷다가 천천히, 아주 천천히 옛날 마을 앞 논 물꼬에 널브러져 죽어 있던 빨치산을 떠올렸다. 한참 지나버린 옛이야기였다. 아니, 어떻게 생각하면 너무나 생생한 엊그제 일 같기도 했다.

그런데 마을을 지키던 민병대에게 총 맞아 죽은 그 빨치산을 정님이가 어떻게 안단 말인가. 다 해어진 이상한 모자, 길게 자란 수염, 가시덤불 같은 머리, 세수라곤 한 번도 해보지 않은 것 같은 더러운 얼굴, 다 찢어지고 너덜거리는 옷에 흰 실밥이 툭툭 터진 옷, 떨어진 신발을 칡으로 친친 동여맸지만 때 낀 발가락과 발톱 속이 시꺼멓게 드러나 있던 빨치산. 그 빨치산을 정님이가 물어보다니.

정님이는 그 일이 있고 난 지 몇 년 후에 이사를 오지 않았던가. 정님이가 어떻게 그 빨치산을 아는 것일까. 나는 엉겁결에 "응, 봤어. 되게 무서웠어" 하고 대답했다.

"야, 큰골 찬샘 아래 너그 쬐그만 밭 있잖여. 거그 옆에 작은 무덤이 그 빨치산 무덤이여. 근디 왜 그냐, 정님아."

"아니, 그냥."

"너 어디서 들었냐. 어떻게 알았냐, 그 빨치산?"

무슨 엄청난 비밀 얘기를 하는 것처럼 말이 떨려 나왔다.

정님이는 "그냥, 아아, 알았어" 하며 입을 꾹 다물고 아까처럼 혼자 걸어갔다.

이상한 일이 아닐 수 없었다. 그런 일이 있은 후 이따금 큰골을 볼 때마다, 정님이 어머니와 정님이가 큰골 밭에서 일하고 돌아오는 것을 볼 때마다, 나는 정님이의 그 묻던 모습이 떠오르곤 했다.

아무튼 나는 어머니에게 꾸중을 들으면서도 발가락이 오래오래 아팠고 그래서 정님이의 따뜻한 등에 여러 번 업힐 수 있었다.

발가락이 아픈 학교 길은 그렇게 즐겁고 행복하기만 했다.

눈싸움

목화송이 같은 함박눈이 아침부터 펑펑 내리는 날이었다. 아침에 아이들은 아버지가 알맞게 잘라주신 장작 토막을 두 개씩 새끼줄로 단단히 매어가지고 어깨에 메고 학교로 갔다. 눈이 오거나 추운 날은 선생님이 시키지 않아도 난롯불을 피울 나무를 가져갈 줄 알았던 것이다.

눈은 금세 쌓여갔다. 풀잎 위에도 사륵사륵 내려 쌓이고, 강변보다 조금 높은 구장네 솔밭 작은 소나무 위에도 하얗게 쌓이고, 겨울 내내 얼어 있는 넓은 호수인 용소 얼음장 위에도 수북수북 쌓이고, 산에도 들에도 지칠 줄 모르고 쌓여갔다. 아이들이 돌멩이를 용소 얼음 위에 던졌다. 얼음장이 쩌렁쩌렁 울렸다. 눈은 우리들의 머리에도 어깨에도 조용히 쌓였다.

아이들은 눈 속을 뛰고 뒹굴고 온갖 장난을 치면서 학교에 갔다. 작은 시내 징검다리 위에도 역시 눈이 쌓여 있었다. 작은 들판은 자욱했으며 학교 뒤 회문산은 벌떼 같은 눈송이들로 어지럽혀져 보이지 않을 정도였다.

학교에 도착하니, 운동장엔 벌써 난리였다. 책보를 교실에다 미처 갖다두지도 않고 아이들은 너 나 할 것 없이 편도 없이 눈을 뭉쳐 던지고 때리고 맞고 쫓고 쫓기며 울고불고 눈싸움을 벌이고 있었다. 선생님들도 재미있는지 눈을 뒤집어쓰고 아이들이 던지는 눈 뭉치를 피하며 웃어댔다. 교실마다 난로

연통으로 연기가 퐁퐁 피어올랐다.

수업이 시작되었다. 성급한 아이들이 벌써 고구마를 썰어서 구워 먹었는지 교실엔 고소한 고구마 냄새가 진동했다.

아이들은 선생님이 들어오자 눈싸움해요, 토끼 사냥 가요, 고함을 지르며 졸랐다. 난로는 벌겋게 달아오르고 있었다. 밖에는 여전히 함박눈이 바람 한 점 없는 허공에 날리고 있었다. 눈이 내리는 바람에 우리들은 딴 나라에 와 있는 듯했다.

공부가 제대로 될 리 없었다. 옷은 다 젖어 있고 머리도 다 젖어 있었다. 아이들은 자꾸 눈싸움을 하자고 선생님을 졸랐다.

두 시간의 수업이 끝나자 아이들은 더 이상 참지 못했다. 한 아이가 뒷문에서 선생님이 오시는지 망을 보고 나머지 아이들은 책상을 치고 고함을 지르며, 도저히 못 참겠다, 이 시간에는 눈싸움을 하자고 선생님께 강력하게 떼를 쓰자고 떠들어댔다. 아이들은 우우 하며 옳소! 옳소! 외치면서 책상을 치고 발을 쿵쿵 굴렀다. 망을 보던 아이가 얼른 자리로 돌아오며 소리쳤다.

"야, 선생님 오신다!"

아이들이 순식간에 제자리로 돌아갔고 교실은 갑자기 조용해졌다. 그러자 망을 보던 아이가 씨익 웃으며 다시 말했다.

"야, 뺑이야. 선생님 아직 안 오셔."

아이들은 다시 책상을 치며 발을 구르며 소란을 피웠다. 심지어 어떤 아이는 책상 위를 훌훌 뛰어다니며 "눈싸움! 눈싸움!" 하고 외쳐댔다.

그런데 느닷없이 교실 한쪽이 조용해졌다. 모두 이상한 느낌이 들어 앞을 바라보았다. 몇몇 아이들이 앞문을 손가락으로 가리키고 있었다. 어느새 선생님이 교실 문 앞에 떡 버티고 서 계셨던 것이다.

아이들은 움찔했다. 또 죽었구나, 어떤 벌을 받을까, 큰일났다 하며 숨을 죽이고 있었다. 그때 선생님이 엄한 목소리로 천천히 말을 시작했다.

"에, 그러니까 너희들, 지금부터 두 시간 동안 눈싸움을 시작한다."

선생님의 얼굴은 너무 엄숙하고 목소리까지 가라앉아 있었다. 아이들은 마음을 졸이느라, 무슨 말인지 몰라 모두 어리둥절했다. 멍한 순간이 지나자 선생님이 다시 소리쳤다.

"야, 이놈들아. 시방부터 눈싸움이랑께!"

아이들은 그때서야 선생님 말을 알아듣고는 우와, 고함을 지르며 운동장으로 우당탕 달려 나갔다.

눈이 엄청나게 쏟아지고 있었다. 벌써 몇 아이는 눈 속에 뛰어들어 교실에서 나오는 아이들에게 눈 뭉치를 던져대고 있었다. 나는 덩달아 교실을 나서려다 갑작스레 이상한 느낌이 들어 유리창 쪽을 바라보았다. 정님이가 펑펑 내리는 유리창 밖을 가만히 쳐다보고 있었다.

목화송이처럼 펑펑 내리는 눈과 정님이의 뒷모습을 바라보며 나는 갑자기 기분이 들떴다.

"정님아, 눈쌈 안 갈래?"

그때서야 정님이는 나를 보고 살짝 웃더니 "가야지" 하며 따라 나왔다.
뒷산도 앞마을도 운동장 가의 벚나무도 눈 속에 파묻혔다. 운동장엔 아이들이 까맣게 뛰어놀고 있었다.
선생님은 청군 백군으로 편을 갈라 경계선을 그어주고는 교무실로 들어가셨다. 아이들은 처음엔 경계선을 넘지 않고 눈을 뭉쳐 던졌지만, 나중엔 하나 둘 그 선을 넘어가기 시작했다. 눈싸움은 점점 치열해졌다.
나중에는 양 편이 한 곳에 섞여져버렸다. 이제는 네 편 내 편 없이 눈을 뭉쳐 사방으로 던져댔다. 도망치는 아이를 잡아 사정없이 넘어뜨리고, 얼굴을 가린 채 울고 있는 여학생에게도 닥치는 대로 눈을 퍼부었다. 운동장은 온통 난리가 났다. 언제부턴가 다른 학년들도 모두 운동장으로 나와 우리와 섞여 놀고 있었다. 한참을 그렇게 쫓고 쫓기다 나는 한 여학생을 집중적으로 쫓기 시작했다. 정님이였다. 정님이가 내 앞에서 눈을 던지고 있었던 것이다. 정님이는 넘어지다 일어서고 도망가다 돌아서며 나에게 눈을 두 손으로 퍼올려 통째로 던졌다.
나는 두 손으로 얼굴을 막고 눈을 맞으며 정님이에게 다가갔다. 그러면 정님이는 다시 돌아서서 도망갔다. 우리들은 학교 밖으로까지 쫓고 쫓겼다. 우리들처럼 다른 아이들도 학교를 벗어나 논밭으로 뛰어다니고 있었다.
눈은 온 세상 가득 하얗게 내리고 있었다. 몇 발자국 앞이 보이지 않을 정도로 내리고 있었다.
정님이는 자꾸 앞으로 뛰어갔다. 나도 정신없이 쫓아갔다. 그러다 보니 너무

먼 데까지 와버렸다는 생각이 들었다. 그때 정님이가 달리던 걸음을 뚝 멈추고는 획 돌아서서 나를 보고 환하게 웃었다.

산과 산 사이, 나무와 나무 사이, 정님이와 나 사이로 한없이 눈이 내리고 있었다. 정님이는 그렇게 서서 나를 뚫어져라 쳐다보며 하얗게 쏟아지는 눈발 속에서 하얗게 웃고 있었다. 눈송이들이 정님이의 머리 위에, 어깨 위에, 웃는 눈썹 위에, 콧등 위에 쌓였다. 작은 소나무 가지가 눈을 받다가 무거웠던지 우수수 내 머리 위로 눈을 쏟아냈다. 눈을 뒤집어쓴 채 눈사람처럼 멍청하게 서 있는 나를 보고 정님이는 큰 소리로 웃었다. 배를 움켜잡고 점점 크게 웃었다. 그러다가 눈밭 위에 벌렁 큰대 자로 누워버렸다. 그리고 계속 하얗게 뒹굴며 마구 웃었다.

나는 돌아서서 학교로 달리기 시작했다. 눈 세계가 내 눈앞에서 허물어지고 정님이의 눈 같은 하얀 웃음만이 나를 에워쌌다. 정님이의 그 까르르 웃는 웃음소리가, 세상에 울려퍼져 허공을 가득 메웠다. 텅 빈 운동장에는 하얀 눈만 내리고 있었다.

교실에 들어서니 아이들은 어느새 난롯가에서 젖은 옷과 양말들을 말리고 있었다. 나도 아이들과 섞여 양말을 벗어 말렸다. 수업 시간이 끝나갈 무렵 선생님이 들어오셨다. 교실이 다시 조용해졌을 때에야 정님이가 문을 가만히 열고 들어와 다소곳하게 자리에 가 앉았다. 정님이의 까만 머리끝에 물방울들이 맺혀 있었고, 붉게 상기된 얼굴도 물기로 젖어 있었다.

밖에는 여전히 하얀 눈이 펑펑 내리고 있었다.

하얀 찔레꽃

학교에서 돌아오면 난 동생들을 돌봐야 했다. 난 큰아들이었고 내 밑으로 남동생 둘, 여동생 둘이 있었다. 남동생들은 자기들끼리 알아서 놀 나이가 되었지만 여동생들은 아직 내가 돌봐주어야 할 나이였다. 동생들을 돌보는 일 말고도 내게는 온갖 집 안의 잡다한 일들이 주어졌다. 바쁜 농사철엔 더욱 그랬다. 학교에서 돌아오면 마루에는 어린 누이가 잠재워져 있거나, 이웃의 큰집 할머니가 돌보고 있던 아기를 건네주며 내가 해야 할 일들을 차례차례 일러주었다.

다른 아이들은 학교에서 돌아오기가 바쁘게, 시퍼렇게 흐르는 앞 냇가로 달려가 물장난을 치거나 낚시질을 하면서 놀았지만 난 한 번도 그렇게 맘 놓고 놀아보지 못했다. 집 안 청소가 끝나면 바로 보리쌀을 갈아야 했다. 어머니가 떠다놓은 보리쌀을 확에 붓고 가는 일이었다. 어른 주먹만 한 꽂독(둥그스름한 돌멩이)을 두 손으로 잡고 엎디어 확 속에 든 보리쌀을 뱅뱅 돌리며 갈면 보리쌀에 붙어 있던 껍질이 벗겨지고 보리가 쌀처럼 깨끗해졌다. 그리고 물을 붓고 퍼내어 뜨물을 받아 큰 독에다 붓고 다시 또 갈고, 그렇게 여러 번 갈아 어느 정도 깨끗해지면 냇가나 공동 우물에 가지고 가서 씻어다가 밥을 안쳐야 했다.

밥을 안쳐놓고 나면 다시 감자를 가져다가 숟가락으로 다닥다닥 껍질을 벗겨 씻어 솥에 안쳐놓은 보리 위에 살짝 얹어놓았다. 그러는 중에 아기가 깨지 않으면 다행이지만 아기가 깨면 그 일들을 아기를 업고 해야 했다. 감자까지 씻어다가 밥을 다 안쳐놓고 상추밭에 가서 상추를 뽑아 씻어놓으면 일이 대충 끝났다.

이 일 저 일 이렇게 다 마치고 나면 아기를 업고 젖을 먹이러 어머니 일하는 데로 가야 했다.

내 등은 언제나 아기들 때문에 마를 날이 없었다. 늘 축축하게 젖어 있었고 한여름에는 땀띠가 떨어지지 않았다. 업었던 아기를 내릴 때면 겨울엔 등에서 뭉게뭉게 김이 났다. 그래도 내겐 아기 젖을 먹이러 갈 때가 제일 한가한 때였다.

일이 없는 날엔 아기를 업고 낚시질을 할 때도 있었다. 가끔씩은 정님이랑 같이 아기를 업고 강변길이나 산길, 들길을 걸어서 어머니들을 찾아갈 때도 있었다. 정님이는 동생은 없었지만 이웃집 아기를 대신 맡아주곤 했다.

아기 젖을 먹이러 가는 길이 산길이면 우리는 걷는 중에 산딸기를 따먹기도 하고 매미를 잡기도 했다. 찔레꽃이 하얗게 핀 날엔 찔레꽃을 따먹거나 늦자란 찔레순을 꺾어 먹었다.

아기를 업고 찔레순이나 찔레꽃을 따먹으며 강길을 걸어갈 때면 정님이는 어디서 누구에게 어떻게 배웠는지 꼭 이런 노래를 불렀다.

찔레꽃이 하얗게 피었다오
누나 일 가는 광산 길에 피었다오
찔레꽃 이파리 맛도 있지
남 모르게 가만히 먹어봤다오
광산에서 돌 깨는 누나 맞으러
저무는 산길에 나왔다가
하얀 찔레꽃 따먹었다오
우리 누나 기다리며 따먹었다오

이 노래를 가만가만 부르며 걸을 때면 나는 왠지 눈물이 자꾸 나오려고 했다. 정님이의 구슬픈 노랫소리에 빠져 서글픈 마음이 되었던 것이다.

어머니들이 젖을 먹이는 동안에 우리 둘은 늘 어머니들이 하던 일을 대신 보았다. 젖을 다 먹이면 우리들은 다시 아기를 받아 업고 집으로 돌아왔다. 아기를 업고 논밭으로 갈 때보다 젖을 먹이고 집에 돌아올 때가 우리는 더 좋았다. 거기에다 해라도 조금 남아 있으면 더욱 좋았다. 이때는 집에 가면 할 일이 없어서 마음이 홀가분했기 때문이었다.

징검다리를 건너면 그 넓은 강변에 자운영꽃과 토끼풀꽃들이 발 디딜 틈 없이 만발해 있었다. 뒷산 그늘이 내려와 강변을 덮으면 우리는 아기들을 꽃밭

에 뉘어놓거나 기어다니게 내려놓고 꽃을 따서 꽃시계나 꽃반지, 꽃목걸이들을 만들어 서로 주고받기도 했다.

이렇게 둘이 노는 것을 자주 보게 된 동네 아이들이 얼레리 꼴레리 하고 놀려대면 나는 얼굴을 붉혔지만 정님이는 그냥 눈웃음만 환하게 머금을 뿐이었다. 학교에는 우리 둘에 관한 소문이 나기도 했다. 그러나 아이들이 아무리 놀려도 정님이는 언제나 웃음을 얼굴 가득 품고 있었다. 어쩔 때 정님이는 일부러 내 모자를 빼앗아 자기 까만 머리 위에 얹고 논두렁길을 걸었다.

구슬픈 정님이의 노래를 들으며 논밭으로 오가던 어느 날이었다.

그날도 여느 날처럼 우리 둘은 강 건너 평밭 아래에 있는 작은 논에서 아기들 젖을 먹이고 집에 오고 있었다. 그날따라 정님이는 더 구슬프게 찔레꽃 노래를 불렀다. 징검다리를 건너 강변에 아기들을 내려놓고 정님이는 찬샘이 있는 큰골을 바라보고 앉았다. 아기들은 풀밭을 기어다니며 꽃을 따서 입에 넣고 까르르 웃기도 하고 뒹굴기도 하며 놀고 있었다. 강물을 바라보며 나도 모르게 토끼풀꽃을 따고 있는데, 한참을 그러다 돌아보니 정님이는 여전히 넋을 놓고 큰골을 바라보며 앉아 있는 것이었다.

“정님아, 뭣 혀?”

정님이는 “응, 응” 하고는 또 내가 한참을 놀다 봐도 계속 그렇게 앉아 있는 것이었다.

그때 퍼뜩 이상한 생각이 머리를 스쳤다. 뭣이더라, 뭣이더라, 뭐가 생각이 날 것도 같은데. 그렇구나! 언젠가 정님이가 학교 길에서 나에게 넌지시 물어봤던 그 빨치산 생각이 떠올랐다.

"야, 정님아, 너 시방 어디를 보냐, 응?"

나는 그냥 넘겨짚고 그렇게 물었다. 산그늘이 정님이의 얼굴을 덮고 있었다. 산그늘이 덮인 정님이의 눈동자 안에서 무엇인가 반짝 빛났다.

"너 시방 울고 있냐?"

내가 묻자 정님이는 얼른 어둔 낯빛을 거두고 치마를 탈탈 털었다.

"아니, 아녀, 내가 왜 울겄냐."

치마 가득 담겨져 있던 토끼풀꽃, 자운영꽃이 우수수 정님이의 발 아래 떨어졌다. 양손 가득 뜯어 쥐고 있던 풀잎과 꽃잎들도 하르르 푸른 풀밭 위로 떨어져 내렸다. 바람 한 점 없는 강물은 조용했다.

해가 꼴딱 지고 강 건너에서 어머니들이 하얀 수건을 쓰고 부지런히 걸어오고 있었다. 어머니들의 웃음소리가 저무는 산길에 경쾌하게 울렸다.

우리는 후닥닥 아이들을 들쳐업고 집으로 달려왔다.

정님이의 검정 치마에서 쏟아지던 꽃송이와 휙 돌아설 때 보였던 것 같은 반짝이는 눈물이 자꾸 어른거려서 나는 그날, 밤잠을 설쳤다.

달빛 아래 두 그림자

모내기와 논매기, 씨뿌리기 등의 일과로 바쁘기만 하던 농사철이 지나고 날이 무더워지기 시작하면 사람들의 노는 시간이 조금씩 늘어났다. 한낮에 불볕 같은 햇빛 속에서는 일을 할 수 없기 때문이다. 아침저녁으로, 햇살이 뜨거워지기 전에 일을 조금씩 해야 했다. 아침 일찍 일어나 소죽감을 베어 오거나 햇살이 누그러지는 오후에 밭을 매러 갔다. 어떤 사람들은 하루 종일 느티나무 아래서 지내기도 했다.

밤이 되어도 더위가 누그러지지 않으면 사람들은 마당에 모깃불을 피워놓고 앉아서 쉬거나 다림질을 했다. 나도 이따금 어머니랑 마당에서 멍석을 깔고 다림질을 했다. 지붕에는 하얀 박꽃이 피어나고 깜깜한 밤하늘엔 별들이 반짝이고 산에선 소쩍새가 이 산 저 산 돌아다니며 울었다. 다림질이 끝나면 나는 넘어질 듯 강변 잠자리로 달려갔다.

날씨가 덥고 모기가 극성을 부리는 여름 밤이면 남자들은 모두 강변에서 잠을 잤다. 나이가 어린 아이들은 느티나무 아래쪽 강변에 잠자리를 마련했고, 좀 큰 청년들은 벼락바위에 누웠고, 나이가 많은 어른들은 느티나무 바로 아래에서 잠을 잤다.

강변의 밤은 언제나 시원했고 그 시원한 바람 때문에 모기가 없었다.

우리들이 잠을 자는 느티나무 바로 앞 강변엔 크고 넓적한 바위도 있었지만 큰 메줏덩어리만 한 돌들도 많았다. 한여름이 닥쳐오기 전에 동네 아이들은 형제들끼리 모여 자기들의 잠자리를 미리 만들었다. 공책같이 넓적넓적한 돌멩이들을 주워다가 방처럼 넓고 평평하게 잠자리를 만들었다. 형제가 많으면 넓게 형제가 적으면 좁게, 그리고 누웠을 때 울퉁불퉁 돌이 등에 박이지 않도록 모래를 깔아 매만지고 다듬어 그 둘레에 작은 성벽을 쌓았다. 성 안으로 들어가는 문만 남겨두고 무릎 높이로 벽을 쌓아 자기 구역을 표시했다. 그렇게 성이 완성되면 여름이 시작되었다.

성 안에는 헌 가마니때기를 깔고 돌멩이를 베개로 삼았다. 잠 잘 때는 배만 덮으면 되기 때문에 이불은 따로 필요하지 않았다. 어른들의 헌 외투나 떨어진 옷가지들이 이불이 되어주었다.

낮 동안 뜨거운 햇볕으로 달구어진 돌멩이들은 초저녁엔 미지근해졌다. 밖으로 나온 사람들은 너 나 할 것 없이 우선 강물로 들어가 더워진 몸을 시원하게 식히고 자기들의 자리 위에 누웠다. 밤하늘엔 별들이 반짝거렸고 돌멩이들은 따뜻하고 편안했다.

느티나무 아래에선 동네 어른들이 밤 늦도록 모깃불을 피우고 이야기꽃을 피웠다. 벼락바위는 느티나무 위쪽 강가에 있기 때문에 청년들은 크게 떠들고 노래를 부르며 놀아도 되었다. 아이들은 그곳에 얼씬도 하지 못했다. 벼락

바위는 온통 넓적한 바위로 되어 있기 때문에 베개로 쓸 돌멩이 하나랑 배 덮을 것만 들고서 아무 데나 누우면 잠자리가 되었다. 낮 동안 뜨겁게 달구어진 커다란 바위는 새벽까지도 식지 않았다.
여름 밤엔 그렇게 강변 곳곳에서 즐겁고 재미있는 잠을 자게 된다. 밤이 깊어지기 시작하면서 아이들의 잠꼬대 소리가 들리고, 또 다른 쪽에선 잠이 오지 않는 아이들의 두런거리는 소리가 들린다. 그러는 가운데에서 하나 둘씩 잠이 들었다.

별 하나 꽁꽁
별 둘 꽁꽁
별 하나 나 하나
별 둘 나 둘

밤하늘의 별들을 세며 모두 별과 함께 잠이 든다. 어쩔 때는 하얀 달이 새벽내내 우리들의 얼굴을 내려다보기도 한다.
그러던 어느 날 밤, 나는 잠을 자다가 번뜩 눈을 떴다.
강변은 대낮처럼 환했다. 하얗고 둥근 달이 내 얼굴 위에 떠 있었다. 앞산 뒷산의 서늘한 어둠, 빛나는 강 수면과 잔잔한 물소리, 소쩍새 울음소리와 강변 하얀 돌 위에 맺힌 작은 이슬 방울, 이슬에 반짝이는 풀잎들, 달빛 아래 검푸른 산. 나는 눈을 멀뚱멀뚱 뜨고 누워 있었다. 그러다 오줌이 마려워 슬며시 일어나 강 쪽으로 가서 오줌을 누었다. 으스스 몸이 떨렸다. 달빛 아래 세상은 너무나 밝고 고요하고 적막했다.

한참 동안 그렇게 사방을 바라보다 마지막으로 하늘의 달을 한번 올려다보고 돌아섰다. 그때, 두 개의 검은 그림자가 큰골이 있는 산속에서 걸어나오고 있었다. 달이 기운 것으로 보면 열두시가 넘은 것 같은데 누굴까? 검은 그림자는 길가의 작은 나무와 큰 나무 같기도 했다. 나는 눈을 껌벅거리며 다시 바라보았다. 분명히 크고 작은 두 개의 물체가 천천히 움직이며 마을로 오고 있었다.

누가 늦게까지 다슬기를 잡다가 이제 오나? 나는 이런 생각을 하며 다시 잠자리에 돌아와 누웠다. 한참을 누워 있어도 잠이 오지 않았다. 이리 돌아눕고 저리 돌아눕다 마을 쪽으로 막 돌아눕는 순간 산 아래 제일 윗집 정님이네 불빛이 반짝 켜졌다. 다시 눈을 비비고 봐도 산그늘에 잠긴 정님이네가 분명했다. 불빛은 잠깐 동안 켜져 있다가 금방 꺼졌다.

뒷산이 잠깐 눈을 떴다가 다시 감는 것 같았다. 나는 이상하다고 생각하다가 이내 다시 잠이 들었다. 내 잠을 이끌고 가는 것이 저 강물 소리 같기도 하고 소쩍새 소리 같기도 했다. 잠으로 빠져들면서 나는, 달빛을 밟으며 가만가만 걸어오던 크고 작은 두 개의 그림자를 떠올렸다. 물소리가 서서히 멀어지면서 나는 깜박 잠 속으로 떨어졌다.

달빛만 환하게 온 세상을 비추고 있었다.

대보름

설이 지나고 대보름이 되면 동네 사람들은 동네 일을 볼 구장을 뽑았다. 새로 뽑힌 구장네 집에서는 해마다 대보름 굿을 쳤다. 동네 사람들에게 한턱내는 행사였던 것이다.

그해에도 새로 뽑힌 구장네 집에서 대보름 농악놀이가 열렸다. 마당에 마련된 커다란 통나무 장작불이 일찌감치 불꽃을 튀기면 동네 조무래기들은 불가에 모여 주위를 돌며 장난을 치기 시작한다.

동네 젊은 아주머니들은 부엌에서 이 솥에는 두붓국, 저 솥에는 삐죽 끓일 준비에 부산하다. 삐죽은 닭을 잡아 칼로 뼈까지 잘게 부수어 쌀을 넣고 끓이는 죽인데, 온 동네 사람들이 밤 늦도록 먹을, 그날 밤 중요한 음식 중의 음식이다. 그해에 새로 시집온 새댁들은 오랜만에 예쁘게 화장하고 나와 문설주에 기대서 있거나 조금 어두운 구석에 몸을 살짝 숨기고 굿마당을 보기도 하고 잔심부름을 하기도 한다. 어쩌다 새댁들이 치마를 여며 잡고 고개를 숙인 채 사람들 사이로 재빠르게 지날 땐 향긋한 분 냄새가 코끝을 스쳤다.

할머니들은 방 안에 느긋하게 앉아 담배를 태우며 이따금씩 부엌에다 대고 큰 소리로 명령을 내린다. 나이가 조금 든 중년 아주머니들은 마루나 뚤방에서서 당당하고도 거침없이 크게 웃고 떠들며 굿 가락에 맞추어 오졸오졸 덩실덩실 춤을 추기도 한다. 나이 든 아주머니들의 거침없는 웃음과 행동을 보고 있으면 왠지 마음이 든든해졌다.

동네 처녀들은 굿판이 벌어진 마당 안으로 선뜻 들어서지 못하고 그렇다고 뜰방이나 마루나 방으로도 들어갈 수 없어서, 담 너머로 고개를 내놓고 불빛으로 감홍시처럼 붉어진 얼굴을 한 채 환하게 웃으며 놀았다. 마당 한가운데 피워진 모닥불은 사정없이 달을 향해 훨훨 솟구치며 밤하늘로 빨간 불티들을 수없이 올려보냈다가 잠시 후 사람들의 어깨나 머리 위에 흰 재로 내려앉았다.

점점 홍이 나고 굿판은 신명이 살아난다. 굿잡이들은 불가를 빙글빙글 돌며 장구 치고 북 치고 소고를 친다. 새로 시집온 새 각시들은 자기 신랑이 어디쯤에서 얼마나 멋들어지게 굿을 치는지를 찾는다. 담 너머 처녀들은 평소에 은근히 마음에 두고 좋아하던 총각을 찾느라 눈빛이 불가를 따라 돈다. 동백기름 바른 처녀들의 검은 머리와 하얀 가르맛길, 불빛을 받은 붉은 얼굴들은 더없이 예뻤다.

한 판이 끝나가면 술국이 나온다. 술상이 마당으로 나오면 깃발을 세우고 굿 대열이 멈춘다. 모닥불로 돌아선 꾼들이 "두붓국에 짐 난다, 어서 치고 술 묵세" 하며 지근닥지근닥 굿을 신나게 치다가 뚝 그치고 술상에 둘러앉아 술을 마신다. 술상은 마당에만 차려지는 게 아니고 여기저기 집안 곳곳에 차려진다. 마루며 큰방에서 젊은 청년들, 노인네들 모두 술을 마신다. 장구잡이가 고깔을 뒤로 젖히고 장구를 허리 뒤로 돌린 채 술잔을 든 모습은 참으로 멋져 보였다.

나도 커서 저런 멋진 장구잡이가 되어야겠다고 생각하지 않은 아이는 아마 하나도 없었을 것이다. 그때 굿 물을 내려놓고 술을 먹기도 하는데 그러면 나이 어린 사람들이 장구와 징과 꽹과리를 가지고 가락을 맞추며 굿 연습을 한다. 굿 가락이 잘 맞지 않으면 술을 마시던 어른들이 찾아와 굿 가락을 고쳐주기도 한다. 그때 이미 장구잡이, 징잡이, 꽹과리잡이가 갈라진다. 어른들 굿판에서 듣고 배운 젊은이들이 나무하러 가면서 작대기와 낫자루로 지게 목발을 때리며 장구 가락을 배우고 꽹과리 가락을 배워가는 것이다.

술자리가 그치고 다시 굿판이 막바지를 향해 치달아간다. 술이 들어가 배가 부른 사람들은 굿 가락을 따라 흥분되어간다. 구경꾼들은 "허이, 잘헌다, 잘혀. 쿵쿵 울려라. 펑펑 울려라" 하며 함성을 지르고 너도 나도 굿판 속으로 뛰어든다. 노랗고 붉고 파란 띠들이 물결을 일으키며 펄럭이고, 벙실벙실, 펑펑 펴지는 고깔들, 빙글빙글 도는 사람들, 와와 타오르는 불길, 장구잡이와 소고잡이와 징잡이들이 상쇠의 지휘에 따라 자기 기량을 마음껏 발휘하여 들쑥날쑥 덩덩덩덕쿵, 모든 사람이 한 덩어리가 되어 돌아간다.

생전 술이라곤 입에 대보지 않던 사람, 생전 노는 데서 노래라곤 불러보지 않은 사람도 이날만은 모두 굿판에 뛰어든다. 우리 큰집 큰아버지도 노는 재주라고는 하나도 없는 분이었다. 그러나 그날만은 어디서 구했는지 바가지를 등과 가슴에 넣고 곱사춤을 추는데 어찌나 구성지게 춤을 잘 추는지, 굿

보는 사람이나 농악을 치는 사람이나 배꼽이 빠질 지경이었다. 그때쯤이면 아주 어린 아이들은 오는 잠을 견디다 못해 소죽을 끓이는 방이나 큰방에서 사람들 틈에 몸을 쑤셔박고 웅크린 채 음냐음냐 잠이 들기도 한다.

아무 재주도 없는 사람은 얼굴에 숯 검댕이를 시꺼멓게 바르고 나오기도 하고, 어떤 사람은 지게를 지고 나오기도 하고, 삼태기를 둘러쓰고 나오기도 하고, 볏짚으로 엮어 만든 날개를 두르고 나와 불가를 빙빙 돌며 자기 멋대로 몸짓을 하며 춤들을 춘다. 둥그런 원은 좁아졌다 넓어졌다 늘어졌다 구불구불 끝이 없다.

내가 그런 굿판을 정신없이 구경하고 있을 때였다. 누군가 내 손을 잡아끌었다. 깜짝 놀라 고개를 획 돌려보니 정님이였다. 나는 또 한 번 놀랐다. 불빛이 너울거리는 굿마당에서 본 정님이는 이제 아이가 아니었다. 어느새 다 큰 큰애기 티가 났다. 그런 정님이가 나를 이끌고 구장네 집 골방으로 얼른 들어갔다. 가슴이 두근두근 방망이질했지만 너무 갑자기 끌고 가는 바람에 그냥 끌려가고 말았다.

골방으로 나를 끌고 간 정님이는 어디서 났는지 나에게 여자아이의 한복을 곱게 차려 입혀주고 고깔을 씌워주었다. 그 고깔은 운동회 때 정님이가 쓴 고깔인 것 같았다.

정님이는 나를 여자아이로 둔갑시켜주고는 앞에 앉아 내 두 팔을 잡더니 **"너 참 이쁘다"** 하며 활짝 웃었다. 호롱불이 너울거리고 정님이와 내 그림자가 출렁거렸다. 호롱불 불꽃 가에 동그랗게 오색 무지개가 그려졌다.

정님이는 얼른 가자며 나를 이끌고 다시 굿판으로 갔다. 그러더니 빙글빙글 돌고 있는 굿판으로 나를 밀어넣어버렸다.

엉겁결에 굿판에 뛰어들게 된 나는 굿 가락에 맞춰 굿판을 빙글빙글 돌았다. 고개에 건 긴 굿 띠를 양손에 잡고 춤인지 뭣인지 모르게 굿 소리에 맞추어 춤을 추며 굿판을 따라 한없이 돌았다. 시간이 지나고 정신이 조금 들자 사람들이 눈에 보였다. 그리고 내가 양손을 너울거리며 춤을 추고 있다는 것도 알았다. "저게, 누구여, 저게 누구데야" 하는 사람들의 말소리도 굿 소리 속에서 들려왔다. 내가 한참을 굿판 따라 그렇게 춤추고 있는데 어떤 억센 손이 나를 번쩍 들어 자기 어깨 위에 올려놓았다. 나는 굿판에 봉긋 솟은 꽃송이가 되었다. 나는 그 사람의 어깨 위에서 발목이 잡힌 채 오졸오졸 덩실덩실 춤을 추었다. "잘헌다아, 잘혀. 펑펑 울려라, 펑펑 울려라." 판은 점차로 절정에 다다랐다.

어디서 어떻게 입고 나왔는지 마을에서 곱상하게 생긴 총각들이 처녀들 옷차림을 하고 여럿이 또 굿판에 뛰어들었다. 울긋불긋 처녀 차림의 총각들이 손을 잡고 굿판을 돌고 다른 총각들이 쫓아가 붙잡고 입 맞추는 시늉을 할 땐 담 너머에서 까르르 웃음소리들이 불꽃처럼 불티처럼 타올랐다가 별처럼 쏟아졌다.

먼 하늘로 솟구치는 불티, 붉은 달, 마을은 이제 둥둥 떠올라 산도 강도 논도 밭도 집도 한 덩어리가 되어 춤을 춘다. 판은 막판으로 치닫고 있었다. 나는 구경꾼들 틈에 서 있는 정님이와 눈이 마주치곤 했다. 정님이는 손을 약간 들

고 살짝 흔들며 나에게 웃음을 던지곤 했다. 나는 숨이 차고 어지럼증이 났다. 불빛 저쪽에서 정님이의 웃는 얼굴이 어른거렸다.

세상이 빙글빙글 마구 돌았다. 불빛을 받은 사람들의 땀에 젖은 붉은 얼굴들. 나는 한없이 깊은 수렁 속으로 빠져드는 것 같았다. 아득하게 꽃이파리들이 쏟아지고 별들이 떨어지고 달이 부서져 내렸다. 그러다가 아, 숨이 넘어갈 것 같을 때, 그야말로 뚝, 굿판이 갑자기 멈췄다. 상쇠가 판을 그렇게 뚝 멈추어버린 것이다. 사람들이 어딘가에서 돌아오고 모두 정신들을 차렸다. 처녀 옷차림들이 얼른 굿판을 빠져나갔다. 가장 느린 가락으로 몇 번 치다가 굿 소리가 딱 그치자, 나는 깊은 나락에서 건져 올려졌다. 굿은 끝이 났다.

박수 소리, 함성 소리가 들리고 사람들이 긴 숨을 몰아쉬며 여기저기 나가앉아 땀들을 닦았다.

이제 달은 기울고 점점 늦게 뜨며 쭈그러든다. 그리고 달과 함께, 굿 소리와 함께 정월이 간다.

그 즐거웠던 나의 농악놀이는 졸업을 앞둔 대보름날의 일이었다.

졸업

잘 있거라 아우들아 정든 교실아

선생님 저희들은 물러갑니다.

졸업식장에서 나는 졸업식 노래를 다 부르지 못한 채 목이 메어왔다. 나뿐 아니라 모든 아이들이 고개 숙이고 울먹이며 노래를 잇지 못했다. 눈앞이 뿌옇게 흐려지고, 기쁘고 슬펐던 6년 세월이 주마등처럼 지나갔다.

졸업장을 쥐고 집에 가다가, 우리는 온 길을 자꾸 뒤돌아보았다. 학교는 섬진강 언덕 회문산 품에 넉넉하게 앉아 있었다. 교무실에서만 난로에 새로 나무를 넣었는지 하얀 연기가 높이 솟아오르고 있었다.

학교야, 눈송이처럼 벚꽃 붕붕 날던 학교야, 잘 있거라. 태극기가 바람에 펄럭이는 정다운 학교야.

초등학교를 졸업하고 중학교에 가는 학생은 잘해야 한 해에 한두 명이었다. 나머지는 이제 본격적으로 농사일을 배우게 된다. 어떤 아이들은 졸업하자마자 남의 집 꼴머슴으로 가야 했다. 꼴머슴은 소에게 먹일 풀을 베어주는 머슴인데 그 집 잔손 들어가는 일은 다 해야 한다. 마당 쓸기, 소풀 베기, 소죽 끓이기, 헛청에서 나무 가져다주기, 모내기할 때 모춤 가져 나르기, 모밥 지어오기 등 수없이 많은 일들이 있었다. 그렇다고 일 년에 돈을 얼마 받거나 새경(머슴 살고 받는 쌀)을 받는 것이 아니었다. 그냥 머슴 사는 집에서 밥만 얻어먹었다. 꼴머슴을 지나 나무라도 한 짐씩 야무지게 할 줄 아는 열여섯이나 열일곱이 되어야 일 년에 쌀 몇 말씩 받고 머슴을 살았다.

꼴머슴을 살러 가지 않더라도 이제 모든 아이들이 다 지게를 맞추게 된다. 지게를 맞추면 어른들은 '지게대학에 입학' 한다고 했다. 작은 지게를 만들 수 있는 작은 소나무를 산에서 베어다가 하얗게 깎아 지게를 맞춘다. 멧돼지와 싸워 이겼다는 현철이 할아버지가 지게를 아주 잘 만들었다. 할아버지는 끌과 낫만 가지고 소나무를 하얗게 깎아 지게를 만드는데 그것이 여간 신기한 일이 아니었다. 지게를 맞추고서, 지게를 짊어질 때 허리가 아프지 않게 짚으로 만든 작은 방석만 한 등태를 달고 멜빵을 달면 하얗고 작은 애기 지게가 완성된다. 할아버지가 "옜다, 됐다. 가지고 가거라" 하면 뛸 듯이 기쁘고 가슴이 그렇게 두근거릴 수가 없었다.

처음 지게를 짊어지고 미리 산에서 꺾어다 만들어놓은 예쁜 작대기를 들고 집으로 뛰어가서 어머니 아버지께 자랑하고 뽐낼 때의 그 마음을 어떻게 말로 표현할 수 있을까. 자다가도 일어나 나와 짊어져보고 세워도 보면서 내일부터 당장 나무를 해 나를 생각을 하면 잠이 오질 않았다.

산과 강과 들판을 다니는 동안 자기 몸같이 붙어다닐 이 지게를 사람들은 '애기지게' 라 불렀고, 그 지게를 처음 지고 나가는 날에 드디어 지게대학에 입학하게 되는 것이다. 저 유구한 농군의 후예가 되는 첫 시작인 것이다.

진달래꽃 피는 산

아침밥을 먹기가 바쁘게 나는 지게를 지고 산으로 향한다. 오늘은 저 앞산으로 나무하러 간다. 밥을 하고 소죽을 끓이고 하는 모든 일들은 모두 나무가 있어야 가능하다. 아침에 일어나 군불을 때어 따뜻한 물을 데워야 겨울철에 그 뜨거운 물로 밥도 짓고 그릇도 씻고 세수도 한다. 동네 남자들이 모두 나서서 날마다 나무를 해 나르기 때문에 가까운 산에는 마땅한 나무가 없어, 나무를 하러 산을 하나 넘어서 갈 때도 있고 십 리쯤 멀리 가야 할 때도 있다. 나무는 '풀 나무' 가 있고 '장작' 이 있고 '싸잡이' 라는, 그해 자란 작은 나무를 낫으로 베어서 다발을 만드는 나무도 있다. 처음 나무하는 우리 같은 애기 지게꾼들은 주로 가까운 산에 가서 키 큰 풀들을 한다. 마른풀을 베어 네 다발씩 묶어야 한 짐이 되는데 그것도 처음부터 쉽게 되는 게 아니라서, 우리보다 일 년쯤 앞서 나무를 하기 시작한 형들에게 나무 쌓는 법, 나무 묶는 법, 지게가 기울지 않게 짊어지는 법 등을 수없이 배워야 한다. 일 년쯤 그렇게 배워야 나무를 다발로 묶어 넘어지지 않게 짊어질 수가 있다.

비탈이 심하게 진 산을 오를 땐 얼굴이 땅에 닿을 것 같았다. 산을 오를 때는 빈 지게를 지고 오르지만 내려올 때는 나무를 한 짐씩 짊어지고 내려와야 하기 때문에 그 또한 오랜 수련이 필요하다. 산길은 한 사람만 다닐 수 있는 좁은 길이고 구불구불하고 돌들이 많기 때문에 잘못하면 지게 목발이 돌이나 땅에 걸려 넘어지거나 쭉 미끄러져 뒹굴기 일쑤다. 산길의 자갈을 밟아 미끄러져 몇 번씩 넘어지고 수도 없이 나뭇짐을 비탈로 뒹굴리다 보면 서서히 나무와 지게와 산길이 몸과 마음에 익혀진다.

서른 명도 더 넘는 사람들이 빈 지게를 지고 산길을 끄덕끄덕 올라 여기저기 흩어져 나무를 한 짐씩 하고 나면, 나중에 하나 둘 넓은 묘지가 있는 곳으로 내려와 모인다. 일찍 나무를 한 사람들은 나뭇짐을 받쳐놓고 잔디밭에서 아이들에게 씨름도 시키고 토끼나 노루, 꿩을 잡으려고 올가미를 놓기도 한다. 나무하는 솜씨들도 가지각색이어서 같은 나무를 해도 가지런하고 단정하고 때기 좋게 하는 사람도 있고 털털하게 아무렇게나 묶어 짊어진 사람도 있다. 총각들은 모두 잘하는 편이다. 좋은 나무를 보기 좋게 해야 자기가 맘에 둔 처녀에게 잘 보일 수 있기 때문이다. 새로 장가든 새신랑의 나무는 특히 눈에 띄게 다르다. 가시가 없는, 불 때기 좋은 나무만, 그것도 가지런하게 하기 때문에 사람들이 놀리기도 한다.

"어이, 오늘도 좋은 나무만 골라서 했구먼그려."

서른 명도 더 넘는 나무꾼들이 나무를 해 가지고 모여 한꺼번에 줄줄이 산길을 달려 내려오는 모습은 장관이다. 산길을 내려갈 땐 천천히 걸어서 가질 못하므로 구불구불하고 좁은 산길을 늘 쉼 없이 뛰어가야 한다. 게다가 나뭇짐

을 지고 산길을 내려가려면 자동적으로 발걸음이 빨라진다. 해는 길고 배고픈 봄날에 동네가 내려다보이는 곳에서 쉬다 보면 동네 고살까지 다 보인다. 우리들은 "밥 차려! 밥 차려!" 하고 마을을 향해 고함을 지른다. 그때쯤 어머니들은 삼 품앗이를 하다가 부산하게 점심을 차리러 나선다.

이따금 나는 정님이의 모습을 찾았다. 물을 길어 동이에 담아 이고 종종걸음으로 걷는 모습, 무슨 일인지 바쁘게 서둘러 자기 집으로 가는 모습, 징검다리 위에서 나무꾼들이 오기 전에 부산하게 빨래를 해 가지고 돌아가는 모습, 빨래를 탈탈 털어 너는 모습, 문을 열고 막 뚤방으로 내려서는 모습 들이 보였다.

진달래꽃이 필 즈음엔 나무꾼들이 바빠진다. 곧 나뭇잎이 돋아나기 때문이다. 나뭇잎이 돋으면 나무를 할 수 없다. 진달래꽃이 필 때쯤이면 나무꾼들은 큰골 웅달진 산으로 나무를 하러 간다. 햇살이 적어 나뭇잎도 늦게 돋아나는 데다 눈도 다 녹아 없는 시기이기 때문이다. 그 산은 진달래꽃이 많이 피는 곳이기도 하다. 산이 험하기도 하지만 그 대신 나무가 많다.

점심밥은 대개 고구마 찐 것 몇 개에 싱건지 국물이나 김치가닥 몇 개씩이다. 먹는 둥 마는 둥 하며 고구마를 손에 들고 지게를 짊어진 채, 진달래꽃이 피어나고 찔레나무 순이 눈을 뜨는 큰골로 간다. 진달래꽃이 핀 나무를 짊어지고 또는 진달래꽃 가지를 나뭇짐 위에 꺾어 꽂고 줄줄이 산을 타고 내려오는 나무꾼들의 행렬은 장엄하고 힘차 보인다. 사람들은 모두 큰골 찬샘에서 쉬며 옷으로 땀을 닦고 찬물을 배가 부르도록 마신다. 시원한 바람, 차가운 물,

침범할 듯 달려오는 푸른 섬진강, 그렇게 또 다른 봄이 간다.

그 산에, 진달래꽃이 피는 그 산에 빨치산 무덤이 있다.

그렇게 사람들이 산에서 나무를 해 오던 어느 날, 나는 놀라운 것을 발견했다. 빨치산 무덤에 분명 누군가 꺾어다 놓았을 진달래꽃이 한아름 놓여 있었던 것이다. 그 꽃을 보는 순간 나는 숨이 멎을 것 같았다. 무엇인가 내 머릿속을 어지럽게 돌아다니고 있었다. 진달래 꽃불이 보이는 것도 같고, 하얀 찔레꽃 덤불이 무너지는 것 같기도 하고, 굿판의 불꽃들이 빙빙 돌기도 했다. 지난 여름 밤 내가 잠에서 깨어났을 때 산그늘 속에서 나오던 두 그림자, 그리고 정님이네 집에서 꺼지던 불빛. 나는 어지러웠다. 집으로 오면서도 그 진달래 꽃빛이 나를 어지럽혀서 발을 자꾸 헛디딜 것 같았다.

집까지 오는 동안 나는 아무 소리도 듣지 못했다.

강물에 부서지는 달빛

앞산 곳곳에 흩어져 나무를 하거나 풀을 하던 사람들, 밭을 매던 사람들은 이상하게도 강 건너 징검다리에서 다 함께 만나게 되곤 했다. 나무꾼들은 이 골짜기 저 골짜기에서 내려와 여기에서 만나 강가에 지게를 받쳐두고 냇물로 세수를 했고, 풀을 베던 사람들도 꼭 징검다리에서 만나 강물에 땀을 씻으며 쉬었다. 밭을 매던 아주머니들도 우루루 산밭에서 내려와 징검다리 징검돌 하나씩을 차지하고 하얀 수건을 벗어 옷을 털고 얼굴을 씻었다.

강변에 자운영꽃, 토끼풀꽃이 한창 피어나던 이른 봄, 나는 혼자 소꼴을 베어 지게에 짊어지고 징검다리 건너 쉼터에서 쉬고 있었다. 그때 강 건너 마을 쪽 징검다리에서 열심히 빨래를 하고 있는 사람이 있었다. 해가 저물고 있었다. 나는 강변에 매어둔 소 고삐를 잡고 징검다리를 건넜다.
방울 소리를 내며 소가 강을 다 건너갔을 때 나는 징검다리에 있는 사람이 정님이라는 것을 알았다. 정님이는 이제 나보다 훨씬 커버렸고 다 큰 큰애기처럼 행동했다. 내가 징검다리를 건너자 정님이가 살짝 일어나 길을 내주었다.

나보고 먼저 가라는 눈치였다. 나는 짤랑짤랑 방울 소리를 들으며 집으로 가고 있었다. 그때 뒤에서 말소리가 들려왔다.

"야, 너 오늘 저녁에 나 좀 만날래?"

나는 깜짝 놀라 걸음을 멈췄다. 내가 우뚝 서니 소가 나를 우뚝 끌었다.

"이따 저녁 묵고 달 뜨면 느티나무 밑으로 좀 나와. 아무것도 아녀. 그냥 쪼께 헐 말이 있어서그려."

나는 그러겠다고도 그러지 않겠다고도 대답하지 못하고 그냥 우물쭈물하며 걷고 있었다.

"글면 기다릴게."

정님이는 그렇게 말하고는 내 앞을 질러가버렸다. 하얀 적삼 위에 붉은 댕기 머리가 찰랑거렸다. 나는 오늘 밤 달이 뜬다는 것도 또 언제쯤 뜬다는 것도 모르고 있었다. 집에 와서도 나는 계속 그 생각으로 정신이 없었다. 정님이와 나는 졸업을 한 뒤로 가끔 고샅에서 마주치거나 문득 부딪쳤을 때 서로 미소만 띄울 정도였지, 만나서 이야기를 한다거나 함께 놀지는 못했다.

자운영꽃, 토끼풀꽃 가득한 꼴바지게에서 풀을 내려 소죽솥 가득 담고 구정물통에서 구정물을 두어 양동이쯤 부은 다음 불을 땐다. 소죽솥 가득 풀을 담을 때는 꼭 꽃밥을 하는 것 같다. 탁탁 불꽃이 타오르고 아궁이 부근이 환해진다. 벌써 초여름이라서 이마에 땀이 맺힌다. 가을엔 알밤도 구워 먹고 겨울엔 고구마도 구워 먹고 눈이 많이 오면 참새와 멧새도 잡아두었다가 구워 먹을 때가 바로 소죽을 끓일 때다.

그렇게 잘 타는 불꽃을 하염없이 바라보고 있으면 나도 불꽃 속으로 빨려드는 것 같았다. 그러다가 솥에서 김이 풀풀 새어나오면 소죽을 뒤적거린다. 풀 냄새가 고소하게 난다. 소죽을 뒤적여 잘 섞고 나서 한참 동안 불을 더 때면 푹 익는다. 그때 솥 바로 옆에 있는 소 구유에 여물을 퍼준다. 그러고 나면 내 하루 일은 다 끝나는 셈이다.

그날 나는 어떻게 소죽을 끓이고 어떻게 밥을 먹었는지 모른다. 소죽을 끓이다가도 어머니께 꾸중을 들었다. 김이 푹푹 나는데도 소죽을 뒤적거리지 않으니 어머니께서 "야, 소죽 뒤적여야제, 뭣 혀" 하시기도 하고 "야, 소죽 더 줘야지, 뭣 혀. 쟈가 시방 정신을 어따 두고 저러고 있디야" 하고 나무라기도 했다.

저녁밥을 먹고 한참을 있어도 달은 떠오르지 않았다. 소쩍새가 그렇게 크게 우는지 나는 그때야 알았다. 앞 논에서는 개구리들이 울고 있었다. 어떻게 가는지 모르게 시간이 가버리고 앞산 머리가 환해지며 달이 떠올랐다.

보름이 삼사 일쯤 지났는지 달 한쪽이 조금 쭈그러들어 있었다. 마루에 서니 달빛이 하얗게 부서지는 강물이 보였다. 나는 살금살금 마당을 지나 밖으로 나갔다. 느티나무는 우리 집에서 그리 멀지 않은 곳에 있었다. 느티나무를 바라보니 새로 핀 잎들이 달빛에 반짝이고 있었다. 나는 달빛을 밟으며 두근거리는 마음을 달래면서 종종걸음을 쳤다.

나는 정자나무 아래를 눈으로 더듬어 사람 모습을 찾았다. 사람들이 놀거나 잠을 자던 바위가 어둠 속에서도 까맣게 드러났다. 나는 얼른 느티나무 그늘

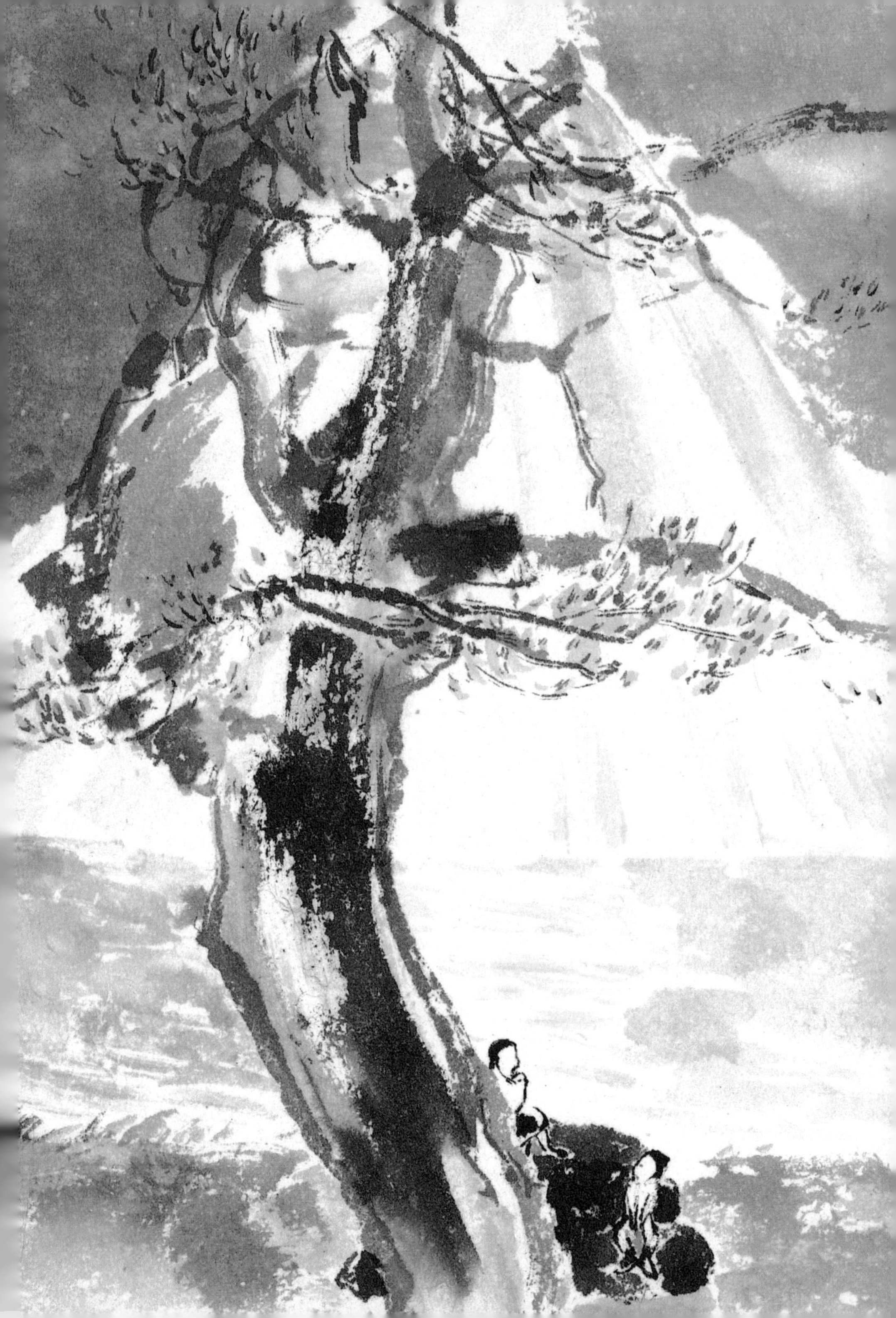

로 뛰어들었다.

"여기야, 여기."

정님이가 느티나무 뒤에서 나오자 나는 흠칫 놀랐다. 평소의 정님이보다 훌쩍 커 보이는 까만 그림자가 내게 다가왔다.

"앉아."

정님이는 느티나무 아래에 있는 넓은 바위에 앉으며 낮은 목소리로 내게 말했다.

여름철에 그 바위는 동네에서 제일 어른이 앉는 자리여서 누가 아무리 일찍 나와도 그곳에 앉지 못했다. 거기에 앉는 어른은 허연 머리에 상투를 틀고 긴 수염을 강바람에 휘날리며 앉아 있곤 했다. 당산굿을 칠 땐 그 바위가 제사상이었다. 함부로 범접할 수 없는 위엄이 서려 있는 곳이었다.

그 자리에 먼저 앉은 정님이가 나보고도 앉으라면서 달 뜨는 강물로 눈길을 돌렸다. 나는 쭈뼛거리며 주춤주춤 다가가 그 바위 아래에 놓인 다른 바위에 앉았다. 소쩍새가 울고 바람이 산들산들 불어왔다. 바람이 불 때마다 나뭇가지들이 움직이고 정님이의 하얀 얼굴이 어둠 속에 둥둥 떠다녔다. 정님이는 그렇게 한참을 앉아 있다가 말을 건넸다.

"너 요새 일 참 많이 늘었더라. 제법 바지게에다 소꼴도 베어 오고. 오늘 소 앞세우고 자운영꽃 가득한 꼴바지게 지고 징검다리 건너오는디 참 예쁘더라."

괜한 소리를 하고 있다고 나는 생각했다. 나는 "뭣 허게 나오랬냐" 하고 퉁명스럽게 내뱉었다. 마음이 조금씩 안정되어가고 있었다. 물소리가 잔잔하게 들리고 소쩍새가 이 산 저 산에서 울어대는 소리가 들려왔다. 이따금 마을 쪽에서는 컹컹 개 짖는 소리가 들리고 아이들 울음소리도 들려왔다.

"무슨 말인지 빨리 말혀. 나 빨리 집에 가야 혀."

정님이는 발끝으로 땅을 차며 한참 동안 바닥만 내려다보고 있다가 문득 고개를 들었다. 다시 한 번 정님이의 하얀 얼굴이 어둠 속에 하얗게 떠올랐다. 정님이는 한동안 어딘가를 주시하는 듯했다. 그러다가 아주 차분하고 은밀한 목소리로 내게 물었다.

"너 옛날에 우리 동네에서 죽은 빨치산 봤지?"

나는 뭔 소린가 하고 멍하니 정님이의 얼굴만 쳐다보았다.

"너 그때 그 빨치산 죽은 거 봤다고 그랬잖여."

그랬다. 언젠가 정님이가 그 빨치산에 대해 물어보았었다. 기억 속에서 서서히 그 빨치산의 얼굴이, 그 험악하게 생긴 모습이 떠올랐다. 나는 정님이를 다시 쳐다보았다. 정님이는 시선을 아까와 마찬가지로 강물을 향해 고정시키고 앉아 있었다. 화난 사람처럼 얼굴이 딱딱하게 굳어 보였다. 비장해 보이기까지 했다. 나는 두려움이 내 몸 어딘에선가 일어나는 것을 느꼈다.

"너 그때 그 빨치산 죽은 모습 자세히 봤냐? 가령 손이라든가 발이라든가 말이다."

"아니. 그냥 무섭게 생긴 것만 보았는디."

나는 그때의 빨치산 모습을 생각하며 되물었다.

"근디 왜 그런다냐. 그 빨치산이 너하고 무신 상관이라도 있다냐?"

갑자기 정님이가 얼굴을 휙 돌리며 나를 사납게 노려보았다. 나는 또 한 번 움찔 놀랐다.

"그려, 그 빨치산허고 우리 식구허고 상관이 있어서 그런다. 왜?"

정님이는 사납게 내뱉었다.

나는 정님이의 그런 모습을 처음 보았다. 우린 또다시 한동안 아무 말도 하지 않았다. 한참을 그렇게 있더니, 정님이가 다시 내게 얼굴을 돌렸다. 순간 정님이의 까만 눈에 무언가 반짝 빛나는 것이 보였다. 정님이는 한숨을 푹 쉬며 고개를 떨구더니 다시 물었다.

"너, 그때 그 빨치산 손을 본 적 있냐?"

나는 정님이의 하얀 옆모습을 바라보았다. 도무지 손가락이니 발가락이니 그런 것을 자세히 볼 수도 없었을뿐더러 그걸 왜 정님이가 물어보아야 한단 말인가. 그 손가락, 발가락이 도대체 정님이와 무슨 상관이 있단 말인가. 종잡을 수 없는 생각이 강물에 부딪치는 달빛처럼 부서지고 있었다.

앞산을 쳐다보았다. 달이 저만큼 떠올라와 있었다. 강물이 하얗게 몸을 다 드러내고, 강변에 토끼풀꽃이 뽀얗게 달빛에 젖어 그 위에 맺힌 이슬이 반짝거렸다. 문득 그 무서운 밤의 일이 희미하게 떠오르기 시작했다. 나는 가슴이 뛰었다.

그 빨치산이 죽기 한 달 전쯤 어느 날 밤의 일이었다.

빨치산의 죽음

우리 형제들은 부모님 방과 벽 하나를 두고 한방에서 오불고불 잠을 잤다. 밤이 깊을 대로 깊었고 우리들도 깊은 잠에 빠져 있었다.

그런데 잠결에 큰 소리가 들려왔다. 마치 다투는 듯한 소리가 내 잠을 자꾸 쫓아내고 있었다. 조금씩 잠에서 깨어나 눈을 떴는데 창호지 문이 어두운 걸 보니 아직 한밤중인 것 같았다. 어디서 닭 울음소리가 들려왔다. 갑자기 '동무!' 하는 소리가 들려왔다. 나는 잠이 번쩍 깨었다. 아버지 목소리도 들리고 간간이 어머니 목소리도 들렸다.

한참 후에 목소리들이 다시 낮아졌다. 소리가 계속 나는데도 방에 불이 켜지지 않은 것이 이상했다. 나는 부스스 일어나 엉금엉금 기어가서 부모님 방 쪽에 귀를 대보았다.

"우리도 먹을 것이 없어 애들헌테 죽도 못 쒀주는 형편이어라우."

어머니의 울먹이는 듯한 목소리가 들렸다.

"미안허요. 곧 해방이 되면……."

생전 듣지 못한 굵은 목소리가 들렸다.

"자, 담배나 한 대 태우소."

아버지 목소리의 뒤를 이어 부스럭부스럭 담배 마는 소리가 들렸다. 아버지가 화로에서 재를 뒤적여 작은 불씨를 찾아 성냥불을 붙였는데 순간 피시식 소리가 나면서 방 안이 잠깐 환해졌다.

나는 얼른 문구멍으로 눈을 갖다댔다. 그때 나는 세 사람의 얼굴을 또렷이 보았다. 어머니는 아랫목에 앉아 계시고 그 옆에 아버지가 앉아 계시고 아버지와 화로를 가운데 두고 험상궂은 옷차림을 한 사람이 하나 앉아 있었다. 귀를 덮는 다 떨어진 모자, 너덜너덜하게 기운 옷을 걸친 남자, 그리고 그 옆에 총이 한 자루 놓여 있는 것을 나는 똑똑히 보았다. 나는 숨을 죽이고 문구멍에서 눈을 떼지 않았다. 세 사람은 아무 말도 하지 않았다. 아버지와 그 사람이 담배를 빨아들일 때마다 방 안이 조금 밝아졌다가 다시 어두워졌다.

한참을 그렇게 들여다보고 있던 나는 그 사람의 얼굴에서 이상한 점을 발견했다. 코밑에 피가 묻어 있었다. 한동안 담배만 태우고 있는데 어머니가 일어나 밖으로 나가시더니 다시 들어와 무엇인가 담겨진 듯한 주머니를 그 사람에게 건네주었다.

"고맙구먼이라우. 내 은혜는 잊지 않겠어라우."

그 사람은 담뱃불을 끄고 총을 집어들더니 살며시 문을 열고 나갔다. 난 얼른 자리로 돌아와 누웠다. 그 사람의 발자국 소리가 멀어졌을 때 어머니의 목소리가 들렸다.

"그 사람 총알 없는지 어치게 알았어라우?"

"아, 제까짓 것들이 여직 총알 가진 총이 있을라구."

그날 아침에 일어나 나는 깜짝 놀랐다. 어제 저녁밥 먹을 때까지도 아무렇지 않았던 아버지의 한쪽 얼굴에 얻어맞은 듯한 멍자국이 시퍼렇게 생겨났기 때문이었다. 그날 기회를 봐서 어머니께 여쭈어봤더니, 놀랍게도 그 사람이 빨치산이라는 것이었다.

그가 산에서 내려와 우리 집에 들어와서는, 먹을 것을 내놓으라고 하며 다짜고짜 총을 들이댔다고 했다. 그랬더니 아버지가 그 사람 총에 총알이 없는 것을 어떻게 알았는지 쫘봐, 쫘봐 하며 대들었고, 그러자 그 사람이 개머리판으로 아버지 얼굴을 때렸다는 것이다. 화가 난 아버지가 주먹으로 그 사람 코를 한 대 치고는, 고함을 지르겠다고 하자 그 사람이 이상하게도 곧 수그러들더라는 것이었다. 나는 어제 저녁 일은 그냥 모른 척하며 어머니 이야기를 다 들었다.

그리고 며칠이 흘렀다. 어느 새벽, 날이 환하게 밝아오기 직전이었다. 그날은 동생들이랑 부모님 방에서 다 함께 자고 있었다. 새벽에 오줌이 마려워 잠자리에서 일어나려고 눈을 떴는데 어머니는 호롱불 아래에서 내 양말을 깁고 있었고 아버지는 밝아오는 창호지 문 앞에 앉아 담배를 태우면서 말문을 열기 시작했다.

"어제 낮에 말여, 나무를 하러 저 앞산 너머로 안 갔는가. 좀 멀다 싶지만 노루 올가미도 새로 놓을 겸 사람들이 안 가본 데로 가느라 한참을 가고 있는디 어디서 인기척이 나더니, 글씨, 아, 저번 밤에 우리 집에 와서 나랑 치고 받고 싸우던 빨치산이 나타나서 나를 부르더랑께. 내가 무섭기도 하고 호기심도 나서 그자를 따라갔더니 글씨 아, 상당히 큰 굴이 있는 곳으로 나를 끌고 가더랑께. 저 평밭 머리 커다란 바위 밑에 그런 굴이 있는지 나도 첨 알았당께. 그 굴이 말여, 한 칠팔 명은 거뜬히 비바람을 피하게 생겼드랑께. 나를 그곳으로 데려가더니 거기 또 한 사람의 빨치산에게 나를 소개하드랑께. 무섭기도 하고 조것들 둘이 덤벼들면 어쩔까 허기도 했는디, 굴 밑을 둘러보니께 거기 놋그릇 대접도 있고 밥그릇, 숟가락, 총도 두 자루 놓여 있드랑께. 그 사람들이 나보고 동네에 가서 우리들 여기 있다는 것 절대 말하지 말라고 하면서 며칠 있다가 지리산 쪽으로 가겠다고 허드랑께. 그중에 우리 집에 왔던 사람은 집이 구례라고 허등만. 자기도 집에 아내가 있고 딸이 하나 있다고 허드랑께. 어찌 보면 무척 불쌍허드라고. 내가 자

수허라고 허니께로 그런 소리 말라고 허면서 곧 우리 세상이 온다고 큰소리를 치더랑께 글씨. 근디 그 우리 집에 왔던 사람은 손가락이 두 개가 없더라고. 저번에 집에 왔을 때는 못 봤는디 검지와 약지가 없더라고 글씨. 내가 하도 이상혀서 물어봤더니 어려서 꼴머슴 살 때 작두질을 하다 손가락을 잘렸디야."

아버지는 긴 이야기를 마치시더니 소죽을 끓인다고 일어나셨다. 오줌을 참고 있던 나도 얼른 일어났다.

그리고 그 이야기를 듣고 난 며칠 후 우리 동네에서 한 명의 빨치산이 밤 몰래 동네로 들어오다가 민병대의 총에 맞아 죽었다. 동네 사람들은 그 빨치산을 큰골 찬샘 아래에 묻었다. 지금 정님이네 밭이 있는 곳이었다.

나는 여기까지 생각하고 정신이 번쩍 들었다.

"너 그 죽은 빨치산 봤담서. 손가락도 봤냐?"

너무나 뜻밖의 물음이라 나는 또 한 번 몸을 움찔했다. 나는 아무 말도 못하고 달빛이 쏟아져 훤히 비치는 큰골을 바라보았다. 한참 뒤에 나는 정님이에게 우리 아버지와 어머니가 빨치산에 대해 하신 이야기를 해주었다. 이야기가 다 끝나자 정님이는 고개를 푹 숙인 채 일어났다. 그리고 느티나무 그늘을 벗어나 달빛을 밟으며 가만가만 마을을 향해 걸어갔다. 달빛이 정님이의 온

몸에 서늘하게 쏟아지고 가까이서 소쩍새 소리가 들려왔다.

어디선가 개가 컹컹 짖어댔다. 달빛이 한번 흔들렸다.

나도 느티나무 그늘 아래에서 일어났다.

그 무덤 위의 진달래꽃

정님이와의 그 밤의 이야기도 서서히 잊혀져가면서 또 시간이 훌쩍 지나갔다. 그리고 또 봄이, 고운 봄이 가난한 마을에 변함없이 찾아왔다. 어디로 갔다가 어디에서 어떻게 살다 왔는지, 다시 새들이 돌아와 울고 진달래꽃이 피어나기 시작했다.

여느 해와 다름없이 긴긴 봄날의 긴긴 해 아래 우리는 고픈 배를 움켜쥐고 또 산으로 나무를 하러 다녔다. 그렇게 나무를 해서 짊어지고 산을 다 내려와 강가에서 옷들을 벗어부치고 땀을 씻고 있을 때 소동이 일어났다.

"어, 동네에 불났는가. 저것이 뭔 연기래야."

누가 먼저 보았는지 모두 동네 쪽으로 고개를 돌렸다. 거기에선 연기가 순식간에 크게 일어나더니 불길이 솟아오르고 있었다. 사람들은 나무고 지게고 뭐고 팽개치고 정신없이 징검다리를 건너 마을로 뛰었다. 그 불꽃은 정님이네 집에서 솟아오르고 있었다. 나는 목이 탔고 발을 헛디뎠다. 사람들이 달려갔을 때는 이미 불길이 집을 뺑 둘러 에워싸고 맹렬한 기세로 타오르고 있어 세숫대야나 바가지로 퍼붓는 물로는 당해낼 수가 없었다.

순식간에 정님이네 집은 불길에 휩싸여 가재도구 하나 꺼내지 못한 채 고스란히 불타버리고 말았다. 꺼멓게 탄 개 다리 같은 기둥과 풀썩 내려앉은 서까래에서 연기가 나고 있었다. 정님이는 넋을 놓고 있는 자기 어머니 옆에 멍하니 서 있었다.

정님이네는 다시 우리 뒷집 문간방으로 거처를 옮겼다. 아니, 옮긴 게 아니라 몸만 그냥 옛날 방으로 들어간 것이었다. 밥은 우리 집이나 동네 사람들 집에서 며칠 얻어먹다시피 했다.

그리고 또 며칠이 지났다. 소죽을 끓여주고 저녁밥을 먹는데, 어머니가 정님이네가 내일이나 모레 이사를 간다고 했다. 나는 내 귀를 의심했다. 예상하지 못했던 일이기도 했지만, 정님이가 이사를 간다고 해서 이렇게 내 정신이 갑자기 혼란스러워질 줄은 미처 몰랐다.

그날 밤 심란한 마음으로 자리에 누운 나는, 정님이와 지냈던 나날들이 자꾸 새록새록 떠올라 눈을 말똥말똥 뜨고 닭 우는 소리를 듣고서야 겨우 잠이 들었다.

이튿날 아침밥을 먹고 지게를 챙겨 짊어지고 고샅길을 지나가다 정님이와 마주쳤다. 뚝 멈춰 서 있다가 "느그 이사간담서" 하고 말을 걸었더니 정님이는 고개를 푹 숙이고 후딱 나를 비켜 가버렸다. 나는 홀로 터벅터벅 걸어서 앞산으로 나무를 하러 올라갔다. 조팝나무에 꽃들이 하나 둘 피어나고 찔레순이 파릇파릇 돋아나고 있었다. '올해 나무도 오늘이 마지막인갑다.' 산을 오르다 뒤를 돌아 동네를 바라보았다. 산과 강과 논밭에, 지붕 위에 봄이 익어가고 있었다.

문득 정님이의 집에 눈길이 멎었다. 정님이가 가만히 내 쪽을 보고 있다가 후딱 움직이는 모습이 보였다. 아니, 나는 그렇게 느꼈다. 그랬을 거야. 분명 정님이가 나를 보고 있었을 거야. 나는 동네가 훤히 내려다보이는 꽃밭등에 지게를 내려놓고 나무를 하기 시작했다. 오만 가지 생각들이 내 머리를 스치고 지나갔다. 어느덧 내 이마에는 땀이 맺히고 나무하는 손놀림에 속도가 붙었다. 한 다발 두 다발 나무를 해서 네 다발을 묶어 지게를 일으켜 세우고 작대기로 받쳐놓은 다음 소매로 이마의 땀을 씻으며 동네 쪽으로 돌아앉았다.

마을이 다시 한눈에 들어왔다. 그때 마을길에 동네 아주머니들이 웅성웅성 모여들고 있었다. 서로 누군가의 손을 잡은 채 마을 앞 큰길까지 따라나오고 있었다. 정님이 어머니였다. 정님이도 자꾸 뒤돌아보며 사람들에게 인사를 하고 있었다. 사람들은 정님이 어머니의 손을 놓지 못하고 있었다.

정님이가 이사를 가는구나. 나는 그냥 멍하니 그 광경을 바라보고만 있었다. 정님이가 자기 어머니랑 마을 앞 느티나무 밑을 지나가고 있었다.

바로 강 건너, 내 앞이었다. 한발 뒤처져 걷고 있던 정님이가 우뚝 멈춰 서더니 내가 있는 앞산 쪽으로 몸을 돌렸다. 나는 얼굴을 가까이 맞대고 있는 것처럼 뚫어져라 강 건너 정님이를 바라보았다. 정님이도 그렇게 나를 보고 있었다. 앞서가던 정님이 어머니가 돌아보며 뭐라고 하는 것 같았다. 갑자기 정님이가 강변 벼락바위 쪽으로 뛰어가 바위 위에 하얀 것을 놓더니 작은 돌을 집어 그 위에 눌러 얹는 것이 또렷이 보였다. 그러면서 내 쪽을 보고는, 손가

락으로 금방 자기가 놓은 돌멩이를 가리켰다. 그리고 다시 어머니를 따라 부지런히 걷기 시작했다. 나는 정님아, 어디 가! 하며 큰 소리로 외치고 싶었다. 정님이가 저만큼 앞서가던 어머니를 따라 산모퉁이를 도는 순간 갑자기 몸을 돌리더니 손을 한번 흔들었다. 그리고 깜박, 정님이의 모습이 지워졌다. 강변에 산에 들에 봄 햇살이 눈부시게 퍼지고 있었다. 나는 정님이가 사라진 산모퉁이를 바라보며 나도 모르게 흐르는 눈물을 주체하지 못했다.

나무를 집에 부린 나는 얼른 어머니께 고구마 몇 개를 달래서 김치 몇 가닥과 함께 입에 우겨넣고 싱건지 국물을 마시는 둥 마는 둥 하고는 지게를 짊어지고 큰골로 달려갔다. 나는 뛰었다. 작대기를 쥔 손에 땀이 배어나고 지게가 자꾸 등 뒤에서 덜렁거렸다. 나는 한 손으로 지게 목발을 잡았다.

탕탕, 총소리가 들렸다. 총소리는 웅웅 산을 울렸다. 파삭파삭 깨진 얼음장 위로 하얀 물고기들이 튀어올라 팔딱팔딱 뛰었다. 밤하늘의 초롱초롱한 별들이 캄캄한 어둠 속으로 우수수 떨어지고 깨끗한 달에 쩡 하고 금 가는 소리가 들렸다. 두루바위가 빙글 돌며 자라들이 물속으로 풍덩풍덩 뛰어들었다. 산속의 새들이 푸드득 날아오르는 날갯짓 소리가 들려오고 토끼와 노루들은 우뚝 멈추어 섰다. 사람들이 이불을 둘러쓰고 숨고 정님이의 치마폭에서 꽃이파리들이 하르르 쏟아졌다. 그 꽃잎들은 진달래꽃잎이었고 붉은 자운영 꽃송이였으며 하얀 찔레꽃잎들이었다. 파란 칡잎에서 허물어진 붉은 산딸기였다. 정님이네 집 뒤란의 샛노란 은행잎이었으며 막 피어나기 시작하는 느티나무 이파리들이었다.

나는 숨이 막혔다. 막힌 숨을 돌릴 틈도 없이 산으로 기어올라갔다. 거기 무덤이 있었다. 흐트러져 있던 자갈들이 곱게 무덤 가로 모아져 있었으며 누군가 정성을 다해 손을 본 흔적이 역력했다.

그리고 거기 무덤 앞에 핏빛 같은 진달래 꽃다발이, 작년 봄에 보았던 그 진달래 꽃다발이 가만히 놓여 있었다. 아직 산그늘이 완전히 걷히지 않고 있었다. 마을이 길게 늘어서 있고 강물이 파랗게 달려오고 있었다. 그 강을 따라 길이 뽀얗게 뻗어 있고 정님이가 마지막으로 깜박 꺼지던 그 산모퉁이에도 햇살이 비껴들고 진달래꽃들이 피어 있었다. 나는 내 주위를 둘러보았다. 웅달진 큰골 작은골에 햇살이 찾아들려면 아직도 한참을 더 기다려야 했지만 진달래꽃들은 이미 무성하게 피어 있었던 것이다.

저녁밥을 먹고 나는 강변에 갔다. 벼락바위 가는 길에 정님이가 손으로 가리켰던 장소에 가보았다. 아까처럼 돌멩이 하나가 오뚝 놓여 있었다. 그 돌멩이를 들어내자 예쁘게 접은 하얀 쪽지가 기다리고 있었다.

저녁에 나는 또래들이 모이는 사랑방에 가지 않고 호롱불 밑에서 정님이의 편지를 또박또박 읽어내려갔다.

잘 있어, 용택아.

무슨 말을 먼저 해야 할지 모르겠다.

너는 내게 참 좋은 아이였어.

이젠 아이라고 하기엔 좀 뭣하지만 말이다.

너를 참 좋아했지.

이 마을도 내겐 너무 좋았다. 모두 정이 들었어.

저 산 너머 하늘, 밤하늘에 반짝이는 별과 강물에 비친 달빛과 나무와 풀과 강변의 풀꽃들.

평생 잊을 수 없을 거야.

가슴에 무엇을, 그것도 아름다운 무엇을 간직한다는 것은 얼마나 좋은 일이니.

난 여기서 참 슬프고 행복했단다.

내 가슴에 이 모든 것들을 다 간직하고 간다. 저 응달에 초라한 묘지까지.

그 무덤은 우리 아버지 무덤이었어.

어머니는 그걸 확인하러 여기 온 거야. 나도 여기서 철이 들었잖니.

우리 고향은 구례야. 이 동네 강물의 끝쯤이래.

우리 동네 산에도 응달엔 진달래가 많이 핀단다. 아버지 무덤에도 지금 진달래가 피어 있지. 여기 와서 나는 진달래가 응달에 많이 핀다는 것을 알았어.

눈 내리고 비가 오고 달이 뜨고 진달래 피면 네가 그립고 보고 싶을 거야.

너도 날 잊지 마. 나도 널 잊지 않을 거야.

이 편지 쓰다가 방문 열고 강 건너에서 나무하는 너를 오래오래 바라봤어.

너무 할 말이 많아 말이 가슴을, 손길을 막는구나.

그래 용택아, 우리 잊지 말자.

언젠가 우리 더 커서 만날 수도 있잖니. 언젠가 내 생각이 나면 이 강물을 따라오렴.

내가 올 때도 진달래꽃 핀 봄이었는데, 갈 때도 진달래꽃이 피었구나.

너를 다시 한 번 바라본다. 이 산천이랑.

그럼 용택아, 그리고 정다운 진메야.

안녕.

널 좋아하는 정님이가

어느 날 쏟아지는 눈발 속에서 나를 보고 하얗게 웃던 정님이의 얼굴이 나를 뒤덮었다. 파란 칡잎에서 쏟아지는 산딸기를 정님이가 검은 치마폭으로 받고 있었다.

호롱불빛이 정님이의 얼굴을 흔들며 뽀얗게 가물거렸다.